PUBLIC LIBRARY
DISTRICT OF COLUMBIA

Y0-BQB-171

-HERGÉ-

LAS AVENTURAS DE TINTÍN

EL SECRETO
del
UNICORNIO

editorial juventud

Barcelona

Las Aventuras de TINTÍN y MILÚ
están editadas en los idiomas siguientes:

Afrikáans	HUMAN & ROUSSEAU	Sudáfrica
Alemán	CARLSEN VERLAG	Alemania
Árabe	ELIAS PUBLISHING	Egipto
Armenio	SIGEST EDITIONS	Armenia
Bengalí	ANANDA PUBLISHERS PRIVATE Ltd.	India
Castellano	EDITORIAL JUVENTUD, S. A.	España
Catalán	EDITORIAL JUVENTUD, S. A.	España
Checo	ALBATROS	República Chequia
Chino	THE COMMERCIAL PRESS Ltd.	China (HK)
Chino simplificado	CHINA CHILDREN PRESS & PUBLICATION GROUP	China (RP de)
Coreano	SOL PUBLISHING	Corea del Sur
Criollo reunionés	EPSILON EDITIONS	Reunión
Criollo	CARAÏBEDITIONS	Guadalupe
Croata	ALGORITAM	Croacia
Danés	COBOLT	Dinamarca
Eslovaco	UCILA INTERNATIONAL	Eslovenia
Estoniano	TANAPAEV PUBLISHERS	Estonia
Finlandés	OTAVA PUBLISHING Co. Ltd.	Finlandia
Francés	CASTERMAN	Francia (B/CH)
Galés	DALEN (LLYFRAU)	País de Gales
Georgiano	AGORA	Georgia
Griego	MAMOYTHCOMIX Ltd.	Grecia
Hebreo	M. MIZRAHI PUBLISHING HOUSE	Israel
Hindi	OM BOOKS	India
Holandés	CASTERMAN	Países Bajos (B)
Húngaro	EGMONT HUNGARY	Hungría
Indonesio	PT GRAMEDIA PUSTAKA UTAMA	Indonesia
Inglés	EGMONT UK LTD	Reino Unido
Inglés americano	LITTLE, BROWN & Co. (HACHETTE)	Estados Unidos
Islandés	FORLAGIT	Islandia
Italiano	RCS LIBRI	Italia
Japonés	FUKUINKAN SHOTEN PUBLISHERS	Japón
Letón	ZVAIGZNE ABC PUBLISHERS	Letonia
Lituano	ALMA LITTERA	Lituania
Noruego	EGMONT SERIEFORLAGET	Noruega
Polaco	EGMONT POLSKA	Polonia
Portugués	ASA EDICOQ	Portugal
Portugués brasileño	COMPANHIA DAS LETRAS	Brasil
Rumano	MKT EUROPE	Rumanía
Ruso	CASTERMAN	Rusia
Serbio	MEDIA II D.O.O.	Serbia
Sueco	BONNIERCARLSEN	Suecia
Thailandés	NATION EGMONT EDUTAINMENT Ltd.	Tailandia
Turco	INKILAP KITABEVI	Turquía

Tintín también han sido publicado en otras lenguas y dialectos.

Todos los derechos reservados en virtud de las convenciones internacionales panamericanas
y universales del copyright. Ningún pasaje de este libro puede ser reproducido
sin el previo acuerdo por escrito de los Editores.

El secreto del Unicornio

Artwork copyright © 1947 by Casterman, París-Tournai
Copyright © renewed 1974 by Casterman
Copyright © de la traducción española, 1959

El tesoro de Rackham el Rojo

Artwork copyright © 1945 by Casterman, París-Tournai
Copyright © renewed 1973 by Casterman
Copyright © de la traducción española, 1960

EDITORIAL JUVENTUD, S. A., 2011
Provença, 101 - 08029 Barcelona
info@editorialjuventud.es
www.editorialjuventud.es
Traducción del francés de Concepción Zendrera

Segunda edición en este formato, 2011
ISBN 978-84-261-3868-2
Maquetación: Mercedes Romero
Núm. de edición de E. J.: 12.438
Depósito legal: BI-2.817-2011
Printed in Spain

EL SECRETO del UNICORNIO

Desde hace algunas semanas se ha notado un considerable incremento de los robos en la vía pública. Grandes almacenes, cines, y mercados son los lugares escogidos por los audaces carteristas. Se cree que podría tratarse de una banda bien organizada. La policía ha puesto en el caso a sus mejores detectives.

Tenemos que abrir bien los ojos y pillar a los ladrones.

Vamos a empezar por el Mercado de Viejo. Tintín nos dijo que iría por allí esta mañana y puede ser que lo encontremos.

Buena idea. Vamos.

No me equivoco: son Hernández y Fernández.

Buenos días. ¿Cómo están?

¡Qué alegría!

¡Tintín!

¿Qué hacen aquí? ¿Buscan alguna ganga?

¡Calle! ¡Secreto y confidencial! Misión especial: carteristas.

Lo que no nos ha impedido encontrar este magnífico lote de bastones.

¿Cuánto?

Veinticinco...

¿Quince?

Veinte... y pierdo dinero.

3

¿Ha visto? Aquí hay que regatear siempre.

?

¡Me han robado la cartera!

¡No digas tonterías! La habrás olvidado en casa... o la habrás perdido.

No. Me la han robado. Estoy seguro.

Bueno, sujeta los bastones. Voy a pagar yo.

¡Solo a ti te ocurren esas cosas! ¡Dejarse robar estúpidamente la cartera!

?

¡También me han robado la mía!

Esperen. Ya pago yo...

¡Muchas gracias! Mañana se lo devolveremos...

Tome...

Adiós. Vamos enseguida a poner la denuncia.

¡Al ladrón! ¡Al ladrón! ¡Mi maletín!

¿Qué ha ocurrido?

Dos ladrones han sido pillados in fraganti.

¡Policía secreta! ¡Policía secreta! Eso se lo dirán al comisario.

¡Milú! ¡Milú!

¡Ya voy!

Mira, Milú, qué barco tan bonito.

¡Qué bonito es! Tengo ganas de comprarlo para el capitán Haddock.

¿Cuánto?

Cincuenta. Es una pieza única... Es una... ¿cómo se dice?... ¡Una «caramela» antigua!

¿Cuarenta?

Bueno. De acuerdo. Cuarenta y es suyo.

¿Cuánto por este barco?

Lo siento, señor, pero lo acabo de vender ahora mismo a este joven.

!

Se lo compro.

Perdóneme, señor, pero no quiero venderlo.

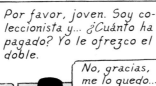

Por favor, joven. Soy coleccionista y... ¿Cuánto ha pagado? Yo le ofrezco el doble.

No, gracias, me lo quedo...

¿Cuánto por este barco?

Lo siento, señor, pero este barco no se vende.

¡Espere, joven! ¡Le ofrezco cien!

Doscientos.

¡No!

Trescientos... Quinientos...

Señores, he comprado este barco para regalárselo a un amigo, así que no lo venderé. Les ruego que no insistan.

¿Por qué todos quieren comprar este barco?

Poco después...

Es verdaderamente bonito. Creo que el capitán Haddock estará contento.

RRRING

Ahí está seguramente.

Mil perdones: vuelvo a ser yo.

?

Perdone mi insistencia. Como le dije, soy coleccionista. Colecciono modelos de barcos. Si usted quisiera venderme su barco, me haría muy feliz.

Mire, señor, ya le he dicho que deseo regalarlo y...

Tengo otros barcos en casa tan bonitos como este. Podríamos hacer un cambio y su amigo...

Es inútil, señor, no insista: me lo quedo.

Bueno... Pero piénselo bien. Tome mi tarjeta y si cambia usted de idea venga a verme...

Es inútil, créame

Hasta pronto, espero.

Adiós, señor.

?

BOUM

¿Qué ha pasado?

¡Milú! ¿Qué has hecho?

¡Vaya! ¡Ahora está roto!

Por suerte no es grave: lo arreglaré enseguida.

RRRING

Esta vez es el capitán.

¡Hola!

¡Buenos días, capitán! Estoy contento de verle...

Venga. Tengo una sorpresa para usted...

¡Oh! ¡Qué barco más magnífico!

¡Mil rayos!

¿Dónde has encontrado este barco?

Lo he comprado en el Mercado de Viejo. ¿Por qué?

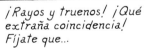

¡Rayos y truenos! ¡Qué extraña coincidencia! Fíjate que...

¡Acompáñame a casa y verás!

¡Es realmente extraordinario!

¡Ya estamos!

¡Ahora verás!

Mira...

¿Es... es usted... este?

No. Es uno de mis antepasados, el caballero de Hadoque, que vivía durante el reinado de Luis XIV.

Acércate. Examina el barco que se encuentra en segundo plano.

Se parece mucho al que he comprado, ¿verdad?

¡Eso digo! ¡Es el mismo barco! Exactamente el mismo. ¿No te parece extraordinario?

Este tiene un nombre. Mire. Se llama **EL UNICORNIO.**

¡Pues, sí! **EL UNICORNIO.** Nunca me había fijado.

¿A ver si el mío también tiene nombre? Deberíamos haberlo traído. Espere, voy a buscarlo.

Si el mío llevara el mismo nombre sería realmente extraño.

Vamos a ver.

¡Recórcholis! ¡Ha desaparecido!

¡Diga! ¿Quién es? ¡Ah, eres tú...! ¿Y bien? ¿Tiene el mismo nombre tu barco? ¡Qué me dices! ¿Robado?

Sí, robado. ¿Sospechas? No. Nadie. A no ser que... Luego le telefonearé...

Sí... Tiene que ser él...

IVÁN IVANOVITCH SAKHARINE

Coleccionista

Calle del Eucalipto, 21.

Tiene algo nuestro, el señor Iván Ivanovitch Sakharine.

Ya estamos...

CALLE DEL EUCALIPTO

Me parece que nos estamos metiendo otra vez en algo raro.

Seguro que se sorprende al verme. Vamos a ver la cara que pone...

¡Es usted! Entre... Lo esperaba...

!

¿Me esperaba? ¿Sabe usted para qué vengo?

Pues claro que sí...

Viene a decirme que está dispuesto a venderme el barco.

No, señor.

¡Ah! Entonces no comprendo...

Pues verá usted... ¿Están por aquí sus colecciones? Resulta que mi barco ha desaparecido...

¡Y quisiera que me explicara cómo ha llegado hasta aquí!

Se equivoca usted. Tengo este barco desde hace diez años...

¿Diez años? ¿Entonces para qué quería usted comprármelo hace dos horas?

¡No era este, joven! El suyo es exactamente igual, en efecto, pero este es mío.

¿De veras?

Será fácil de comprobar. En cuanto usted salió, mi barco se cayó y el palo mayor se ha roto. Lo he arreglado, pero se ve. Vamos a ver cómo está este palo.

Está entero. Este no es mi barco.

¿Ve usted?

Ya comprendo su sorpresa. Yo mismo me he extrañado muchísimo al ver un barco exactamente igual que el mío, y por esta razón insistí tanto en comprarlo.

Perdóneme, señor. Créame que siento mucho...

No importa. Y si encuentra su barco piense en mí.

¡Es extraordinario! Hay dos barcos idénticos al del cuadro del capitán... y los dos se llaman igual EL UNICORNIO!

Voy a telefonear al capitán. Se quedará de piedra.

Ocupado.

¡Es increíble todo lo que puede contar la gente por teléfono! Hace un cuarto de hora que espero. ¡Ah, por fin!

Vamos, Mirza, ya no llueve.

El capitán habrá salido. No contesta. Vamos a casa...

En cuanto al ladrón del barco, solo puede ser el segundo hombre que quería comprarlo.

¿Quién ha abierto mi puerta? ¿Qué pasa aquí?

Han entrado a robar.

¡Bandidos! ¿Qué han hecho con mis libros?

¡Me lo han estropeado todo! ¡Serán bárbaros!

¡Dos robos en un día! No está nada mal...

¿Y qué me han robado esta vez?

¡Qué ladrones más raros! ¡No se han llevado nada!

Lo han registrado todo. ¿Qué estarían buscando? Me gustaría saberlo.

A la mañana siguiente...

Buenos días. ¿Cómo están? ¡Dios mío! ¿Qué les ha ocurrido?

Nada... Un pequeño incidente en el Mercado de Viejo, después de haberle dejado.

Sí... Un malentendido... Hemos venido para devolverle el importe de los bastones. Vinimos anoche, pero no estaba.

Y dígame... ¿encontró usted su cartera?

No, desgraciadamente. Pero esta mañana hemos comprado otra y yo...

¡Caramba! ¡Me la han robado otra vez!

¡Maldita sea! ¡Tiene que ser el hombre con el que nos cruzamos anoche en las escaleras cuando vinimos a verle! Recuerdo que me empujó.

¿Cómo era?

¡A mí también me empujó!

Bastante gordo, pelo negro, bigotito negro, traje azul y sombrero marrón.

¡Es él! ¡El hombre del Mercado de Viejo!

De todas maneras, no pudo haberle robado ayer una cartera que ha comprado usted esta mañana.

En eso tiene un poco de razón.

¡Miserables! ¡Unas carteras nuevecitas! Vamos, Hernández, tenemos que ir a poner la denuncia.

Tiene razón. Hay que poner enseguida la denuncia.

¡Cuidado!

¡Fernández! Espérame... ¿Dónde estás?

¡Aquí! ¡Ya estoy abajo!

¡Pobres! ¡No tienen suerte! Esto de los robos es una epidemia...

Bueno, vamos a poner orden en todos estos papeles.

¿Qué haces ahí, Milú?

¿Un cigarrillo? ¿Ahí? Es raro...

No es un cigarrillo. Es un papelito enrollado...

Este papel no es mío... ¿De dónde habrá salido? Vamos a ver...

¿Qué misterio es este?

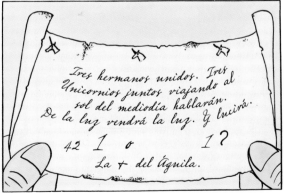

Tres hermanos unidos. Tres Unicornios juntos viajando al sol del mediodía hablarán. De la luz vendrá la luz. Y lucirá.

42 1 o   1?

La † del Águila.

¡Qué galimatías! Y antes que nada, ¿de dónde ha salido este papel?

¡Tiene que ser eso! Este papel seguramente estaba en el palo de mi barco. Al romperse, debió de salir de su interior y rodó bajo el mueble...

¡Ahora lo comprendo todo! El que ha robado mi barco sabía que había este papel escondido. Al ver que había desaparecido, se ha creído que yo lo había encontrado; ha vuelto otra vez para cogerlo y por eso lo ha revuelto todo, sin imaginar que el papel estaba debajo del armario.

¡Tintín, eres un verdadero Sherlock Holmes!

Pero ¿para qué quieren este documento? Si por lo menos pudiese captar el significado.

¿Y si por casualidad...? ¡Pues claro que sí! ¡Solo puede ser eso!

¡Pronto, Milú! ¡A casa del capitán!

¿Y ahora qué le pasa?

¡Un tesoro, Milú! ¡Estoy seguro de que estamos sobre la pista de un tesoro!

RING RING RRRING

ADDOCK

¡Cuanto más lo pienso más seguro estoy!

¡Perezoso! ¡Seguro que todavía está en la cama!

¿Y ahora qué hacemos?

¡No hay nadie! ¡Habrá salido! Voy a preguntarle a la portera...

¿El capitán? No le he visto salir. ¿Y no contesta? Es raro...

¿Estará enfermo?

¿Enfermo? Puede ser. Ha tenido la luz encendida toda la noche...

Hay que ir a ver...

RRRRING

¿Nadie?

¡Sí! Está ahí... ¡Oigo ruido!

¡Fuera de aquí, piratas!

¡Capitán!

¡Fuera, mercenarios! ¡Cebollinos! ¡Espantapájaros!

¡Bandidos! ¡Cafres! ¡Cornamusas!

¡Victoria! ¡Se han batido en retirada! ¡Yuju, una botella de ron!

¡En nombre del cielo! ¿Qué significa esta comedia?

¿Comedia? No es una comedia. Ven y comprenderás...

¿Ves este hombre?

Sí, es uno de sus antepasados. ¿Y qué?

Pues ayer, después de oír la historia de los barcos, recordé que en casa guardaba un baúl muy viejo que perteneció a este antepasado. Aquí está...

Y en este baúl, además de este sombrero y este sable, he descubierto...

¡Lo sé! ¡Un tesoro o el plano de un tesoro!

No, ningún tesoro, pero casi. Unos manuscritos del caballero de Hadoque. Mira... Empecé a leer anoche y me he pasado leyendo la noche entera...

Memorias de Francisco Caballero de Hadoque Capitán de la Marina del Rey Comandante del Buque El Unicornio

Y aún estaba leyendo cuando has entrado. Por eso me has encontrado un poco... sobreexcitado. Pero es apasionante. Te lo voy a contar.

Estamos en el año 1698. **EL UNICORNIO**, orgulloso galeón de la flota de Luis XIV, sale de la isla de Santo Domingo, en las Antillas, rumbo hacia Europa con un cargamento... En fin, sobre todo había mucho ron...

Hace dos días que con buen viento **EL UNICORNIO** navega a toda vela, amurado a estribor, cuando de repente se oye un grito...

¡Vela a babor!...

¡Oh! Está ciñendo este individuo... ¡Que me lleven los demonios si no tiene la intención de cortarnos el paso!

Y lleva prisa... Iza su pabellón. Veamos...

¡Bandera negra! ¡Filibusteros!

¡Zafarrancho de combate! ¡Todos a cubierta! ¡Preparados para orzar y virar!

Y virando de bordo, con todo el trapo, con riesgo de romper los palos, **EL UNICORNIO** ciñe para escapar de los terribles Hermanos de la Costa...

¡Es inútil! ¡Mil rayos! ¡Es más rápido que nosotros!

Para escapar, el capitán ordena una maniobra arriesgada. Virará en redondo, amurará a babor y cuando se sitúe le soltará una descarga a la altura del pirata. Dicho y hecho...

¡Preparados para virar! ¡Cacen las velas! ¡Cañoneros, a sus puestos!

EL UNICORNIO vira de bordo. Sorprendido por la maniobra, el pirata no tiene tiempo de modificar su rumbo. El galeón real se acerca... ¡Cuidado!

¡FUEGO!

¡Alcanzado!

Alcanzado, sí... Pero no lo suficiente para hacerle abandonar el combate. El pirata también vira de bordo, ¡y mira, iza otro pabellón en el palo de mesana!

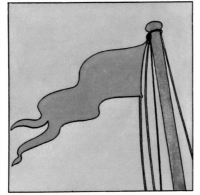

¡El pabellón rojo! ¡El pabellón sin cuartel! ¡Será una lucha a muerte! ¡No se harán prisioneros! ¿Comprendes? ¡Si nos vencen, nos matarán a todos!

El pirata se acerca. Se acerca cada vez más... A bordo del **UNICORNIO** todos tienen la garganta seca...

Ciñendo el viento al máximo, el pirata se coloca detrás de nosotros para evitar el fuego de los cañones. Sigue acercándose...

Y de repente, cuando está a veinte brazas del **UNICORNIO**, pasa bajo la popa del galeón, así...

Y luego sigue su primera dirección. Los barcos están ahora uno al lado del otro... ¡Van a subir al abordaje!

¡Ya está! ¡Los piratas han lanzado sus garfios! ¡Y con feroces alaridos suben a bordo del UNICORNIO!

¡¡¡Ayaah!!! ¡Al abordaje!

¡Déjame! ¡Deja que me defienda! ¿No ves que los piratas suben a bordo?

¡Atrás, bandidos!

¡Atrás, basura! ¡Cobardes! ¡Sinvergüenzas!

¡Dejadme a ese hombre, camaradas!

¡Lo mataré yo mismo!

¿Con que me vas a matar? ¡Galápago! ¡Pepinillo!

¿Miserable piojoso? ¿A mí me vas a matar tú?...

¡Toma! ¡Para ti, escolopendra!

¡Ah, sí, grandísimos cobardes! ¡Me atacáis por detrás!

¡Os comeré vivos a todos!

En fin, es lo que le pasó a mi ancestro. Al echarse sobre los piratas le cayó una polea sobre la cabeza y perdió el sentido...

Así los piratas se hicieron los dueños del barco. Heridos y supervivientes fueron masacrados y echados al mar.

¿Y el caballero?

¿El caballero? Cuando volvió en sí estaba atado a un palo de su barco. Sufría atrozmente...

¿Del golpe que recibió, naturalmente?

No. ¡De sed!...

¡Pobre hombre! ¡Cómo debió de sufrir!...

Miró a su alrededor. La cubierta estaba limpia y no quedaba ni rastro del combate. Los piratas iban y venían, llevando toda clase de objetos...

¿Qué hacen? En vez de vaciar el barco y llevarse el botín, lo están llenando...

Un hombre se acerca al capitán. Lleva una capa roja con una calavera: es el jefe de los filibusteros. Su aliento apesta a alcohol. Dice:

Mírame. ¿Sabes quién soy? Soy Rackham el Rojo.

Encantado. Yo soy el caballero Francisco de Hadoque.

Así que mi nombre no te da miedo. Escucha: Has matado a Diego el Navarro, mi fiel lugarteniente, has matado o herido a la mitad de mis hombres, y además de eso mi barco se está yendo a pique. Alcanzado por tus cañonazos, ha recibido el golpe de gracia en el momento del abordaje...

... cuando tus malditos cañoneros nos dispararon. Mis hombres están trayendo a bordo de tu barco todo lo que saqueamos a un barco español hace tres días...

¡Y qué botín!

¡Mira estos diamantes!

¡Hay suficiente para pagar diez veces el rescate de un rey!

¿Has venido sólo para decirme eso?

¡No! ¡He venido a decirte que me pagarás caro todo el daño que me has hecho! ¡Mañana te entregaré a mis hombres y, créeme, mis corderitos se las arreglarán para que mueras lento! a fuego

Diciendo esto se echó a reír, cogió un vaso y lo vació así...

¡Basta, capitán, basta! Siga contándome su historia.

Al anochecer, **EL UNICORNIO**, con su tripulación de filibusteros, llegó frente a una isla y echó el ancla en una caleta tranquila...

Los piratas habían descubierto las barricas de ron y durante toda la noche se emborracharon escandalosamente.

Escandalosamente... Es la palabra que lo define.

Pero ¿qué...? Quería enseñarte lo que hacían...

Es inútil, capitán, lo he comprendido.

Como quieras, Tintín. ¿Dónde estaba?

Cuando los piratas se emborrachaban escandalosamente....

¡AAAAAA AAAAH!

¡Anda! ¡Ahora hay dos vasos! ¡Qué raro!

Mientras tanto...

¿?

Mientras tanto, el caballero hacía esfuerzos desesperados para liberarse...

¡Paciencia, corderitos! El caballero de Hadoque quiere enviaros un saludo especial....

¡Ya está! ¡Una mano libre!

¡Libre! ¡Estoy libre!

¡Y ahora, Rackham el Rojo, nos veremos las caras!

Diciendo esto se lanza...

¿Sobre los piratas? ¿Así, sin armas?

No. ¡Sobre una botella de ron que andaba por cubierta! La descorcha, la lleva a sus labios y...

Piensa y dice: "No es hora de beber alcohol, tengo que tener la cabeza despejada", y deja la botella en el suelo...

Eso es. Deja la botella... Coge un sable, y echando una mirada hacia la proa, donde continuaba la fiesta...

¡Aprovechad! ¡Bailad y cantad, yo bajo a la santabárbara!

La santabárbara, por si no lo sabes, es donde se encuentran todas las municiones y la pólvora...

¡Así! ¡La fiesta no será completa sin fuegos artificiales!

¡Y ahora me queda el tiempo justo para salir del barco antes de que salte!

¡Ah! ¡Perro! ¡Estabas aquí!

!

¡Quieres hacernos saltar a todos! ¡No tendrás ese gusto! ¡Te voy a despellejar vivo antes de que apague la mecha!

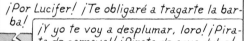

¡Por Lucifer! ¡Te obligaré a tragarte la barba!

¡Y yo te voy a desplumar, loro! ¡Pirata de carnaval! ¡Pirata de agua dulce! ¡Antropopiteco!

¡No te escapes, que ya te cogeré!

¡Yo te agujerearé las tripas, viejo cachalote!

Y mientras luchaba, el caballero pensaba en la mecha que de un momento a otro lo iba ... a hacer saltar ... todo...

Y de repente se echó a un lado, evitando la espada del otro...

Y con su talón apagó la mecha.

¡GUUAU!...

Y ahora, Rackham el Rojo, me voy a enfadar...

BANG
BUM
CRAC

¡Victoria! ¡Ha sido liquidado Rackham el Rojo! ¡Yuju! ¡Una bo- tella de ron!

¡Que Dios le perdone todos sus crímenes!

PÓL

Hemos perdido demasiado tiempo. Una mecha nueva...

PÓLVORA

¡Y andando!

Nadie me ha visto, siguen bebiendo... Vamos al bote...

Mi... mira..., el... el bote... el bote... se va...

Calla. Estás borracho, no digas tonterías.

¡Hurra! ¡Se ha hecho justicia!

Este fue el fin del UNICORNIO, el orgulloso navío del caballero de Hadoque. Y ninguno de los piratas que estaban a bordo sobrevivió.

¿Y qué le pasó al caballero después de esto?

Durante dos años vivió con los indígenas. Luego le recogió un barco y volvió a su país. Ahí se acaban las memorias del caballero. Pero lo más curioso de todo el asunto...

En la última página del manuscrito figura una especie de testamento en el que declara dejar a cada uno de sus tres hijos un modelo, construido por él, del barco que hizo saltar para no dejarlo en manos de los piratas. Además pide a sus hijos que muevan el palo mayor de cada uno de estos modelos para que "la verdad sea completa".

¡Eso es, capitán! ¡El tesoro de Rackham el Rojo es nuestro!

¿Qué quieres decir?

¿Por qué cree usted que el caballero les pide a sus hijos que muevan el palo mayor de cada barco?

¿Cómo quieres que lo sepa? Probablemente para que comprueben que estaban bien construidos...

Si fuese así, lo hubiese hecho él mismo. ¿Por qué pedírselo a sus hijos?

Porque si sus hijos le hubiesen obedecido, habrían encontrado en el palo de cada barco un pequeño pedazo de pergamino.

¿Y cómo lo sabes?

Porque yo he descubierto el pergamino que se encontraba en el barco que compré en el Mercado de Viejo. Y aquí está...

¡Mi cartera! ¡Me han robado la cartera!

¿Robado? La habrás olvidado en casa.

No. Me la han robado, y me la han robado en el tranvía. Recuerdo que me empujaron.

¿Y qué ponía en el pergamino ese?

Espere... Tres hermanos unidos - Los tres hijos del caballero - Tres unicornios viajando juntos al sol del mediodía hablarán. Así es que hay que reunir los tres barcos para tener los tres. Lo que sigue no es muy claro.

Porque de la luz vendrá la luz - y lucirá -, después hay algunas cifras, una pequeña cruz y las palabras "del águila"... Eso es.

¿Y qué querrá decir todo eso?

No lo sé, pero estoy seguro de que si podemos conseguir los tres pergaminos, podremos descubrir el tesoro de Rackham el Rojo. Y ya sé dónde está el segundo. Venga, capitán.

¿Sabes dónde está el segundo pergamino?

Sí. Conozco a la persona que tiene el segundo UNICORNIO.

¿El segundo UNICORNIO hecho por mi antepasado?

Sí. Lo tiene un tal señor Sakharine.

Aquí es: el número 21.

¡SOCORROOOO! ¡AUXILIOOO!

¿Qué pasa, señora? ¡OOOH!...

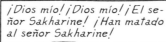

¡Dios mío! ¡Dios mío! ¡El señor Sakharine! ¡Han matado al señor Sakharine!

¿?

¿Muerto?

No. Su corazón funciona. Le habrán cloroformizado.

¡Mira, Tintín! ¡El segundo UNICORNIO! ¡Han quitado el palo mayor!

¿Ve? ¡La base del palo está hueca: el pergamino ha desaparecido!

¡Mil rayos! ¡Otros también andan buscando el tesoro de Rackham el Rojo!

¡Que nadie salga!

¡Buenos días! ¿Cómo están...?

¡Cuidado! ¡Estamos de servicio, y en estas condiciones no tenemos amigos!

¡Exacto! Estamos aquí para investigar este caso...

Para empezar, aquí está la víctima...

¡Yo aun diría más: aquí está la víctima!

Si hay una víctima tiene que haber un culpable.

Bien razonado. Y según veo las cosas, me parece que no está muy lejos.

¡Porque el culpable está aquí!

¿Yo culpable? ¿Me acusáis a mí? ¡Miserables gusanos!

¡Chinches! ¡Negreros! ¡Cebollinos! ¡Monigotes!

¡Monos! ¡Salvajes! ¡Estropajos! ¡Filoxera! ¡Coleópteros!

¡Cataplasmas! ¡Gargarismos!

¡Capitán! ¡Capitán! Cálmese...

Sí, señor capitán, cálmese. Hemos dicho eso así... por si acaso...

¿Cómo que por si acaso?

Si fuese usted el verdadero culpable, usted se hubiese traicionado. Ahora estamos seguros de que usted es inocente.

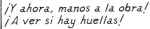

¡Y ahora, manos a la obra! ¡A ver si hay huellas!

¡Caramba! ¡El muerto ha desaparecido!

¡El muerto está vivo!

¿Qué le ha ocurrido, señor Sakharine?

Anoche vino un hombre para venderme unos bonitos grabados antiguos, y mientras los examinaba sentí que me ponían un pañuelo debajo de la nariz...

Era cloroformo, sin duda, porque perdí el conocimiento...

Este asunto me parece extraño... Yo aun diría más... ¿No huelen ustedes a quemado?

¡Tu lupa! ¡Ja, ja, ja! Tu lupa y el sol... ¡Ja, ja, ja!

¡Para de reír como un tonto! Vamos a ver si aclaramos este asunto.

¿Podría hacernos una descripción del hombre que vino con los grabados?...

Me parece haberlo visto anteriormente, pero no puedo recordar dónde.

Era más bien gordo, con pelo negro y un bigote negro. Iba vestido con un traje azul y un sombrero marrón.

¡Es él! ¡Es el hombre del Mercado de Viejo!

¿Qué hombre del Mercado de Viejo?

Un hombre que me quiso comprar el barco en el Mercado de Viejo. Es el mismo con el que ustedes se cruzaron anoche al venir a mi casa y que creían que les había robado la cartera.

A propósito, ¿saben que me han robado la mía?

Es increíble la cantidad de gente que se deja robar la cartera. Yo he encontrado un remedio a eso. Coja mi cartera...

Cójala, si puede...

Una goma...

Simple, pero había que pensar en ello.

Es verdad, es de una simplicidad infantil. Bueno, les dejamos con sus asuntos. Hasta la vista.

Adiós.

Así me parece que nunca veremos el tesoro de Rackham el Rojo.

Eso me temo...

¡Mire! Hay alguien que nos espera delante de mi puerta.

¡El hombre del Mercado de Viejo!

¿Señor Tintín?

Soy yo. ¿Qué quiere usted?

Quisiera hablar con usted, señor Tintín, pero si es posible en su casa. Estaremos más tranquilos...

Bueno, subamos...

Pase...

PAM PAM PAM

¡Bandidos! ¡Gángsters! ¡Apaches!

Capitán, capitán, ayúdeme...

Tengan cuidado... También les matarán a ustedes...

¿Quién?

¿Quién? ¿Su nombre? ¡Hable!

Ahí...

¿Los gorriones? ¿Qué quiere decir usted? ¡Dios mío! ¡Se ha desvanecido!

UN ASUNTO MISTERIOSO

Ayer al mediodía en la calle del Labrador, en el momento en que un hombre entraba en el número 26 de dicha calle, fue alcanzado por tres disparos procedentes de un auto que pasaba. La víctima, herida en el corazón, ha fallecido esta noche sin haber

¡Pobre tipo! Nadie sabrá lo que quiso decir al señalar los gorriones...

¡Buenos días, capitán! Entre... Ahora telefoneaba al hospital para saber cómo va el herido...

¡Inútil! Ha muerto.

¡Oiga! ¿Señor médico? Aquí Tintín. Buenos días, doctor. ¿Cómo va el herido? ¿Sigue sin conocimiento? ¿Hay esperanzas? Pocas... Gracias. Hasta la vista, doctor.

Pero si el periódico dice que ha fallecido.

Se ha dicho eso a los periódicos para que el culpable lo crea y piense que su víctima no podrá denunciarle.

Ahora lo comprendo. Pero aún me pregunto lo que este desgraciado ha querido decir al señalar los gorriones.

Yo también me lo pregunto, capitán. Es muy misterioso, y como diría Fernández, "Yo aun diría más: es muy misterioso".

Otro día perdido sin descubrir a ningún carterista. Vamos a volver a casa.

Ya es hora de que llegue ese tranvía.

¡Mi cartera! ¡Esta vez no te escapas!

¡Alto! ¡Sinvergüenza!

¡Capitán! ¡Venga conmigo!

¿Adónde?

Donde Fernández. ¡Han encontrado mi cartera!

Eso es... Es la mía.

Había siete en los bolsillos; el botín del día, seguramente.

?

Aquí está el pergamino que se encontraba en el palo del **UNICORNIO**. Mire, capitán.

Sí..., muy bien.

Dígame, ¿cómo atraparon al ladrón?

¿Atrapado? En realidad solo hemos atrapado su chaqué.

Sí, es un chaqué. Qué idea más rara para un ladrón, la de llevar chaqué.

Es verdad.

Desgraciadamente, esta ropa no nos indica nada que identifique a su propietario.

¿Y esto?

Miren estos hilos: forman unas cifras. Quiere decir que hace poco salió de alguna tintorería.

¡Es verdad!

Entonces basta con encontrar la tintorería en la que esta prenda ha sido lavada para encontrar el nombre y la dirección del ladrón. ¡Vamos por una lista de tintorerías y andando!

ACACIAS

Varios días después...

¿El señor Tintín?

En el primer piso.

¿Pasará?

Sí...

¿Señor Tintín? Aquí está la vajilla que usted ha comprado.

¿Yo? No he comprado nada.

Pues aquí viene su nombre y su dirección, mire.

Ya está. El cloroformo ha hecho su efecto. Vamos a meterlo en la caja.

Primero hay que cerrar la puerta.

¡GUAU!

¡GUAU!

¿Está en casa el señor Tintín?

Sí está, pero había un error. No ha comprado nada.

¡El perro está en la ventana!

¡GUAU!
¡GUAU!

¿Qué pasa, Milú?

¡Milú! ¡Cuidado! ¡Te vas a caer!

Se ha vuelto loco el perro, mire cómo sigue al camión.

Es raro. Nunca suele dejar a su amo.

¿Está el señor Tintín?

Sí, arriba.

¡Señora Mirlo! ¡Señora Mirlo! ¡Tintín no está en casa!

¿No está? ¿Dónde estará?

Al día siguiente...

¿Qué es esto? ¿Dónde estoy?

Si no me equivoco, estoy prisionero.

¡Sí, prisionero!

Nadie, y no lo he soñado: alguien ha hablado.

Sí, alguien ha hablado.

¿Quién es usted? ¿Dónde está?

¿Quién soy? Soy el fantasma del capitán del **UNICORNIO**.

¡Ja!, ¡Ja!, ¡Ja!, ¡Ja!

¡Reconozca que se ha asustado! Acérquese a la puerta... Más cerca...

Venga... Ahora fíjese bien: hay un interfono.

¿Quién es usted y qué quiere de mí?

¿Quién soy? Eso no se lo diré. En cuanto a lo que quiero, supongo que ya lo habrá adivinado.

Quiero saber dónde ha escondido los dos pergaminos que usted me ha quitado.

¿Yo le he quitado dos pergaminos? Nunca he tenido más que uno.

Vamos, no se ría de mí. Había conseguido dos pergaminos y usted me los ha quitado. Esta noche he hecho registrar su casa y no había más que uno en su cartera. ¿Dónde están los otros dos?

¡No lo sé!

Como usted quiera. Pero le advierto que tengo varios medios para hacerle soltar la lengua... Le doy dos horas para decidirse y si no me dice dónde están los dos pergaminos, verá cómo las gasto.

Pero si no lo sé... Pero si le digo que... ¡Ah, ha colgado!

¡Estoy en un aprieto! ¿Cómo saldré de esta?

Dos horas. Dos horas para escapar. ¿Cómo me las arreglaré?

Si pudiese derribar la puerta golpeándola con esta viga...

Imposible... No puedo ni levantarla...

Es inútil. Y dentro de dos horas tengo que estar lejos de aquí...

¡Eureka!

Antes de nada taparé el interfono.

Así no podrá oír el ruido que voy a hacer.

¡Y ahora manos a la obra! ¡Rápido!

Vamos a atar estas sábanas y estas mantas...

Luego hay que atarlas a la viga...

¡Adelante! ¡Vaaamos, avanza!

¡Otra vez! ¡Tengo que mover esta viga sea como sea!

... Mientras tanto...

!

Necesito un baño para quitarme este barro.

¡Qué gusto da sentirse tan limpio!

Ya está la viga debajo de la anilla...

Ahora ataremos una piedra a esta cuerda...

¡Hop!

¡Y ya tenemos un magnífico ariete!

¡Y ahora andando!

BOUM

¿Has oído?

Sí. Un golpe que ha sacudido la casa entera.

Otra vez...

Es raro... Parece que viene del sótano...

BOM

¿Del sótano? Entonces...

¡Mil rayos! Tiene que ser Tintín. Nos llamará para decirnos dónde ha escondido los pergaminos.

¿Oiga Tintín?... ¿Diga?... Es curioso, no contesta...

Y el ruido no para...

Hay que saber qué pasa. Vamos a ver qué está haciendo...

BOM

¡No hay duda! ¡Esto viene del sótano!

BOM

Un poco más. La pared ya se ha agrietado...

¡Hurra! Ya está.

CRAC!

?

⁉

¡Una caja de música se ha puesto en marcha al caer!

¡Ahí está!

?

¡Allí! ¡Mil rayos! ¡Ha hecho un agujero en la pared!

¡Alto! ¡Sinvergüenza! ¡Se escapa!

¿Dónde está? No le será difícil esconderse aquí, pero lo encontraremos.

¡Cuidado! ¡Que no nos sorprenda!

¡Mira! ¡Se ha movido esta armadura!

!

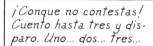

¡Ah! Creías que no íbamos a encontrarte si te escondías ahí. ¡Fuera! ¡Sal de ahí!

¡Conque no contestas! Cuento hasta tres y disparo. Uno... dos... tres...

PAM
PAM

DONG

¡Vaya, no estaba ahí!

¿Has oído?

No es nada: una bala que ha rebotado en la armadura y ha dado en ese gong. Vamos, no hay que perder tiempo...

¡Menuda suerte! Ahora que se alejan vámonos de aquí...

¿Dónde están? Ya no los veo...

¡CUCU!

¡CUCU!... ¡CUCU!... ¡CUCU!...

No seas tonto. No es Tintín, es un reloj de cuco que toca la hora. Vamos, adelante.

¡Venga, Tintín! ¡Todo bien!

¡Uf, lo he cogido a tiempo!...

BOUM

¡Es él! Ya lo tenemos...

No puede estar lejos...

¡Ahí está! Alto o disparo...

PAM PAM

Un ábaco... Esto me da una idea...

CRAC

La idea era buena.

¡Canalla! ¡Me las vas a pagar!

Lo siento, pero debo dejarles, señores....

¡Así! Ahora les toca a ellos...

No hay que perder tiempo para que vengan a detener a esta gente...

Ahora comprendo lo que quería decir aquel hombre al señalarnos los pájaros, quería decirnos el nombre de sus agresores...

Sres. M. y G. Pájaro
Anticuarios
Castillo de Moulinsart

Ahora hay que telefonear al capitán...

¿Diga? Sí..., el mismo... ¿Quién habla? ¿Tintín? ¿Pero dónde estás? ¡Tintín! ¡No te oigo bien!

¿Qué hago aquí? Pues... soy el nuevo secretario del señor Pájaro. ¿No lo sabía usted?

No..., no lo sabía... Perdóneme...

Néstor... Néstor...

¡Néstor! ¡Ha entrado un malhechor en el castillo! ¡No le deje telefonear a nadie! ¡Ahora llegamos! ¡No le deje escapar!

¡Capitán! Estoy en el castillo de Moulinsart. ¡Venga deprisa! ¿Qué dice? ¡No, de Moulinsart!

¡Deje ese teléfono!

¿Azahar? ¡Aló! ¿Dónde se encuentra el Azahar?

¡Moulinsart, capitán, castillo del Moulinsart!

¿Cómo dice? ¿Qué pasa? ¡Mil rayos! ¿Qué pasa?

¡Castillo de Moulinsart! ¡Moulinsart!

¡Capitán! ¿Me oye? ¡Estoy en el castillo de Moulinsart! ¡No! ¡Moulinsart! ¡Diantre!

¿Cómo, que de antes? ¡Habla!

¡SOCORRO! ¡SOCORRO!

¡Es la voz de Néstor!

¡Esto es el colmo! ¡Se estropeó el teléfono!

¡Solo puedo hacer una cosa: irme de aquí cuanto antes mejor!

Si está aquí, no podrá escapar...

¡Mil demonios! ¡Néstor se ha desmayado!

¿Dónde está? ¡Habla, imbécil! ¿Ha tenido tiempo de dar un telefonazo?

Sí.

¿A quién?

¡A mí!

¡Tengo que escapar!

Poco a poco...

¡Ahí está! ¡Estaba escondido detrás de la puerta!

¡Tenemos que cogerlo muerto o vivo!

Rápido, amigo, préstame tu alabarda...

¡Cuidado! ¡Ahí vienen!

¡La salida es por aquí!

¡Acaba de cerrar la puerta del castillo! ¡Deprisa! ¡Se nos escapará!

¡Por fin libre!

¡Allí está!

¡Ya están ahí otra vez!

¡Ha desaparecido entre los árboles!

¡Vete a buscar a Brutus, Néstor!

¿Brutus? ¡Bien, señor!

Este jardín es enorme, parece un bosque...

¡GUAU! ¡GUAU!

¡Busca, Brutus, busca!

50

¡GUAU!
¡GUAU!

¡GUAU!
¡GUAU!

¿Qué hago? Si me escapo soltarán al perro y me perseguirán. Mientras que si...

¡Voy a jugarme el todo por el todo!

¡Ya estamos!: los ladridos se oyen más cerca.

¡Hop! ¡Ya está!

¡Se acabó la broma, canallas! ¡Manos arriba!

Arriba y andando, volvemos al castillo.

Estaremos mejor para hablar en paz mientras viene la policía a buscarles...

¡GUAU!
¡GUAU!

CRAC

¿Adónde van? Este miserable ha tomado la precaución de ir a atar al perro antes que nada.

¡Guau! ¡Guau!

¡Ahora que estamos tranquilos vamos a la policía sin perder tiempo!

Vienen por aquí y van a pasar bajo las ventanas de la planta baja... A ver si puedo hacer algo...

¡Néstor, mantén la calma!

¡Ahí están! ¡No puedo fallar!

¡Néstor!

¡Vaya! ¡No he pegado bastante fuerte!

¡A ver ahora!

¡Dios mío!

¡De esta no te escaparás!

Ven aquí, Néstor, y trae una cuerda fuerte.

¡Usted pase delante! Y al menor gesto le prevengo que le mato como a un perro.

¡OH!

¡Milú! ¡Milú!

¡Milú! ¡Mi valiente Milú! ¡Me has encontrado!

¡Manos arriba!

¡Otra vez!

¡Son las voces de Hernández y Fernández!

¡Manos arriba!

¡Y ahí está el capitán Haddock! ¡Viva!

¡Canalla! ¡Pirata! ¡Bárbaro!

¡Capitán! ¿Pero qué hace usted?

¿? ¡Toma, cataplasma!

¡El tío se había desperta-do e iba a disparar!

¡Déjenme! ¡Les repito que se equivocan! ¡Yo no he he-cho nada!

¡Hernández y Fernández! ¡Buenos días!

¡Les digo que este sinver-güenza ha entrado en el castillo y ha aterrorizado a mis amos: es un verda-dero gángster!

Es verdad. Néstor no sabe nada. Sus amos le han dicho que yo era un mal-hechor y él se lo ha creído.

¡Los únicos malhechores son sus amos! ¡Mire lo que queda de una botella de coñac tres estre-llas! ¡Y es culpa de ellos! ¡Son unos canallas!

¡Para quienes traemos orden de comparecer ante el juez!

¡Mi cartera! ¡Mi carte-ra! ¡Es inaudito!

Ahí está su cartera.

¡Eso es lo extraordina-rio! ¡No me la han ro-bado!

A propósito, ¿han conse-guido echarle el guante a ese ladrón de carteras?

Todavía no. Pero es casi nuestro.

Hemos encontrado su nom-bre en una tintorería. Se llama Celestino Panza. Íba-mos a buscarle cuando reci-bimos la orden de venir a por los hermanos Pájaro, y entonces...

¡Señores, señores! ¡Escu-chen!

¡Señores, no olvidemos los grandes errores judiciales! Este hombre es inocente, Tintín lo ha dicho. Tienen que dejarlo libre... para que pueda ir a buscarme una botella de coñac.

Está libre. Ahora vamos a ocuparnos de sus amos como es debido.

Vaya, Néstor, le seguiremos. Y no lo olvide: ¡tres estrellas!

Ahora, capitán, explíqueme cómo es que han llegado aquí.

Pues mira...

Después de no haber comprendido nada de lo que me dijiste por teléfono, me avisaron del hospital...

... donde se encontraba el hombre de los pajaritos. A pesar de la gravedad de su herida han podido salvarlo y ha podido dar el nombre de sus agresores, los hermanos Pájaro, anticuarios, del castillo de Moulinsart. Al oír este nombre he comprendido...

... lo que querías decirme por teléfono. Sin perder tiempo he ido a la policía y hemos venido a toda prisa...

BING
*¡OH!
BANG
¡AH!

? ?

No deberíamos haber dejado a los policías con los dos bandidos.

¡Uno se escapa! ¡Ha dado vuelta a la esquina!

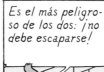

Es el más peligroso de los dos: ¡no debe escaparse!

RRROUM RRROUM

¡Un coche! ¡Es el motor de un coche!

¡Kamikaze! ¡Atropellador! ¡Mataperros!

¡Demasiado tarde! ¡Se escapó!

Vamos a ayudar a estos infelices y a ver al otro.

Espere, voy a ver si puedo ayudarle.

¡Ya está!

Y ahora, usted, cuéntenos lo que sabe.

No diré nada.

Tal vez no sepa usted que su víctima está aún con vida y nos ha dado sus nombres.

¿Nuestra víctima? ¿Bernabé no había muerto?

Si es así, les voy a contar todo. Cuando compramos este castillo, hace dos años, descubrimos en el sótano un modelo de galeón, en muy mal estado...

¿EL UNICORNIO?

Sí. Al restaurarlo encontramos el pergamino. Mi hermano, Máximo, estaba convencido de que se trataba de un tesoro, pero como hablaba de tres Unicornios, había que encontrar los otros dos. Como usted sabe, somos anticuarios. Pusimos a trabajar a nuestros agentes,

... que recorren los mercados para encontrar piezas interesantes, y les pedimos que nos buscaran los dos barcos. Hace unas semanas uno de ellos nos dijo que había visto en el Mercado de Viejo uno de los barcos, pero desgraciadamente lo había comprado un joven y que este no quería venderlo.

Ya sabemos lo demás. Este hombre vino a robarme el UNICORNIO, pero como no encontró el pergamino volvió a registrar mi casa, sin ningún resultado. ¿Qué pasó después?

¿Después? Se lo voy a contar...

Bernabé vino a contarnos lo ocurrido, y se acordó de que otra persona había querido comprarle a usted el barco.

Y al día siguiente se presentó donde el señor Sakharine, lo cloroformizó y cogió el tercer pergamino.

Eso es. Después de haberlo entregado a mi hermano, se enfadó porque, según él decía, no le pagamos bastante, él pedía más y Máximo no quería. Enfadado, se marchó diciendo que nos pesaría. Mi hermano se asustó y pensó que nos iba a traicionar. Le seguimos en coche y le vimos que se acercaba a usted.

Al ver esto, mi hermano perdió la cabeza, se acercó y disparó a Bernabé cuando iba a entrar.

Ahora comprendo. Pero ¿entonces para qué me raptaron a mí?

Ya se lo hemos dicho: para obligarle a decirnos dónde se encontraban los dos pergaminos que usted nos quitó varios días después.

No puede ser, puesto que yo ni sabía que ustedes se ocupaban de ese asunto. Pero me parece que habrá sido...

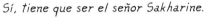

Sí, tiene que ser el señor Sakharine.

¡Ya salió!

¡Ha con- seguido quitármelo!

Vamos, capitán, ahora le toca al otro...

¡Cuidado! Una..., dos...

¡Y tres!

Capitán, en cuanto volvamos a la ciudad tenemos que ir donde el señor Sakharine: estoy seguro de que él tiene los dos pergaminos.

Es verdad, solo tenemos uno...

¿Solo uno? ¡Lo malo es que ni lo tenemos! ¡Los hermanos Pájaro me lo han quitado! Pero me lo van a devolver...

¿Quiere devolverme el pergamino que me han robado?

¿Devolvérselo? No puede ser. Lo tenía Máximo en el bolsillo.

!

Telefoneen enseguida a la policía diciendo que Máximo Pájaro se ha escapado en un coche con matrícula 52 14 14. Después volveremos a la ciudad...

Bien...

Al día siguiente...

Vamos a ver al señor Sakharine.

RRRING

¿El señor Sakharine? Está de viaje y no volverá hasta dentro de quince días.

¿Está de viaje? Esto complica las cosas.

Vamos a ver a Hernández y Fernández. Tal vez hayan encontrado a Máximo Pájaro con mi pergamino.

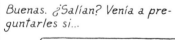

Buenas. ¿Salían? Venía a preguntarles si...

¡Silencio y discreción! Acompáñenos y verá.

¿Adónde vamos?

Pronto lo sabrá.

Pocos minutos después.

TOC TOC TOC TOC

¿El señor Celestino Panza?

Soy yo.

¡En nombre de la ley, queda detenido!

¿Detenerme a mí?

¡Sí, usted! ¡Usted es un ladrón, señor!

¿Ladrón? Celestino Panza, funcionario retirado, ¿un ladrón? ¡Es un error, señores! ¡Un error grave!

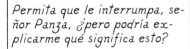

Permita que le interrumpa, señor Panza, ¿pero podría explicarme qué significa esto?

Sí... Pues mire..., no soy ladrón, ¡eso no! Soy un poco cleptómano. No es culpa mía, no puedo ver una cartera sin robarla. Cuando encuentro una, no puedo resistir, la cojo y pongo una etiqueta con el nombre de su propietario...

Y la añado a mi colección.

Esta es una colección única. Y cuando ustedes se enteren de que esto es el resultado de solamente tres meses de trabajo no dejarán de admirarme.

¡Increíble! ¡Todas las carteras ordenadas alfabéticamente!

Entonces... Esto sería una suerte extraordinaria.

¡Viva!

Pertenece a
Máximo Pájaro

Sustraída el
12-10-42

¡Aquí están los pergaminos! ¡Capitán, el tesoro de Rackham el Rojo es nuestro!

¡Hasta la vista! ¡No dejen de mirar en las letras F y H!

¿F y H?

¿F y H? ¿Para qué F y H?

¡Caramba, esta cartera es mía!

"Pertenece a Hernández". Esta es tuya.

Pertenece a Fernández... Pertenece a Hernández... Fernández... Hernández... Fernández... Hernández... Fernández... Hernández...

Al día siguiente...

Has dicho muy pronto que el tesoro de Rackham el Rojo es nuestro. Desde luego tenemos dos pergaminos, pero nos falta el tercero...

Claro que sí...

RRRING
RRRING
RRRING

¿Diga? Sí..., yo mismo... ¿Qué tal? ¿Han conseguido cogerle?

Nosotros no. Pero gracias a nuestras indicaciones lo han detenido cuando se disponía a pasar la frontera.

¿Y el tercer pergamino? ¿Lo tenía él?

Sí. Lo hemos encontrado. Se lo vamos a llevar, pero antes que nada tenemos que arreglar un asunto con este anticuario de los demonios...

Tú, Hernández, ten mi bastón mientras me ocupo del señor...

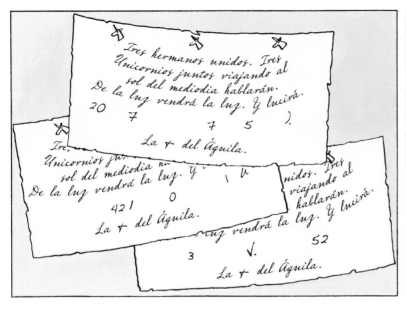

¡No puede ser, no puede ser! ¡Busca tú si quieres! ¡Yo no entiendo nada! ¡Que los lleven los demonios a los tres hermanos, al tesoro y a Rackham el Rojo! ¡No tengo ningunas ganas de volverme loco con esta historia! ¡Y además me da sed!

¡Ya lo entiendo, capitán! ¡Ya lo entiendo!

¡Va a ver usted que estos pergaminos dicen la verdad cuando dicen que la luz vendrá de la luz! Mire lo que hago...

Los pongo los tres, uno sobre otro, delante de la bombilla. Dígame qué ve ahora...

¡Caramba! Las cifras y las letras se completan y el resultado es...

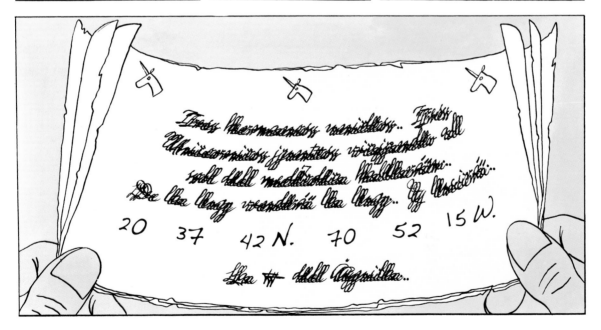

¡Una latitud y una longitud!

¡Que nos indican el lugar en el que se hundió **EL UNICORNIO**!

A ver, capitán, ¿dígame cuándo salimos a buscar el tesoro?

¿Cuándo salimos? Pues...

Vamos a ver... Necesitamos un barco... Podemos alquilar el **SIRIUS** de mi amigo Chester... Luego nos hace falta una tripulación, buzos y todo el material necesario para esta expedición. Para reunirlo todo nos hará falta un mes. Sí: dentro de un mes nos embarcamos.

¡El tesoro de Rackham el Rojo es nuestro!

Desde luego no será cosa fácil de conseguir y supongo que tendremos que pasar bastantes aventuras. Estas aventuras, amigos, las contaremos en **EL TESORO DE RACKHAM EL ROJO**

· HERGÉ ·

-HERGÉ-

LAS AVENTURAS DE TINTÍN

EL TESORO
de
RACKHAM EL ROJO

editorial juventud
Barcelona

EL TESORO
de
RACKHAM EL ROJO

EL ANCLA

CAFÉ

¡Buenas!

CAFÉ

¡Hola, Pedro!

WHITE

¡Hombre, Alfonso! ¿Qué tal estás?

Bien, ¿y tú? ¿Siempre de cocinero?

Sí. Dentro de unos días embarco en el SIRIUS con el capitán Haddock y Tintín. ¿Les conoces?

¿Tintín? ¿El capitán Haddock? Ya lo creo. Se habló mucho de ellos durante el asunto de los hermanos Pájaro (1). Pero el SIRIUS es un pesquero. ¿Vas a pescar?

Sí. Pero es una pesca especial. Vamos a pescar un tesoro.

¿Qué me cuentas?

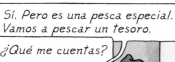

Que quede entre nosotros: se trata del tesoro de un pirata del siglo XVII, Rackham el Rojo, que se encontraba a bordo de un barco llamado EL UNICORNIO. Parece que Tintín y el capitán Haddock...

... saben dónde se hundió EL UNICORNIO y... y... luego te diré lo demás... Las paredes oyen...

(1) Véase EL SECRETO DEL UNICORNIO

EL TESORO DE RACKHAM EL ROJO

En los círculos marinos se habla mucho de la próxima salida del pesquero SIRIUS. Si nuestros informes son fidedignos, el objeto de este viaje, a pesar de que se haya procurado mantener en secreto, es la búsqueda de un tesoro.

Este tesoro, que pertenecía al pirata Rackham el Rojo, parece ser que se encontraba a bordo del UNICORNIO cuando este se fue a pique a finales del siglo XVII. El famoso periodista Tintín, cuya intervención en el asunto de los hermanos Pájaro no hemos olvidado aún, y su amigo el capitán Haddock, han conseguido saber el lugar exacto en el que se encuentran los restos del UNICORNIO y según medios bien in-

¿El señor Tintín?

Soy yo.

Señor Tintín, me he enterado esta mañana del viaje que usted proyecta para descubrir el tesoro de Rackham el Rojo. ¿Es cierto?

Así es. Pero...

En estas condiciones me voy con usted. En cuanto al tesoro, me contentaré con la mitad. Tome mi tarjeta.

Es su nombre... ¿de verdad?

Como usted lo ve.

Mire, capitán...

¡Dios mío!

RACKHAM
-ELROJO-

Está bien, pero, si lo he entendido bien, su apellido es Rackham, Elrojo el de su madre, así que no veo la relación entre el pirata Rackham el Rojo y usted...

RRRING

¿Señor Tintín? Reclamo mi parte del tesoro. ¡Soy el descendiente de Rackham el Rojo!

¡Perdone! ¡Soy yo!

¡Perdone! ¡Soy yo!

¡Soy yo!

¡No haga caso! ¡Soy yo!

¡Mentira! ¡Soy yo! ¡Mi árbol genealógico!

Déjame a mí. ¡Si hay un verdadero Rackham lo sabremos enseguida!

¿Así que ustedes son descendientes de Rackham el Rojo?

Bueno. Pues yo soy el descendiente del caballero Francisco de Hadoque, quien mató en combate singular a Rackham el Rojo... y de vez en cuando...

... siento los mismos instintos belicosos de mi antepasado...

¡Largo, piratas de agua dulce!

¿Qué pasa ahí arriba?

¡Qué brutos!

¡Como bárbaros, son muy brutos!

¡Una verdadera banda de brutos!

¡Yo aun diría más: una verdadera banda de brutos!

¡Y ahí van los archivos, filibusteros de carnaval!

¡Se acabó! ¡Ya se fueron todos esos... impostores!

RRRRRING

¿Más? Déjeme ir a ver...

¿Es usted, Tintín? ¿Querría ayudarnos? Algún bruto nos ha tirado algo en la cabeza...

!

Vamos a arreglar eso...

RRRING

?

Quisiera hablar con el señor Tintín...

¿Para qué? ¿Usted se llama también Rackham el Rojo?

¿Sí?

No. Le pregunto si usted se llama Rackham el Rojo...

¡Ah!

¡LE PREGUNTO SU NOMBRE!

Hable un poco más alto. Soy un poco sordo.

¡SU NOMBRE!

¿No? Qué pena, ya volveré... Hubiese querido hablar con el señor Tintín en persona...

Soy yo. ¿Qué desea usted?

¿Señor Tintín? Me habían dicho que no estaba...

Encantado de conocerle. Yo me llamo Tornasol, Silvestre Torna- sol.

¡Ah!

No, Tornasol, Silvestre Tornasol. Señor Tintín, me he enterado de que usted prepara un viaje para buscar un tesoro. Muy bien. Pero ¿pensó en los tiburones?

¿Los tiburones?

No, joven. Yo le hablo de tiburones. Ustedes tendrán que sumergirse, y entonces intervienen los tiburones.

Pero si...

¿Verdad? He inventado un pequeño aparato destinado a explorar el fondo submarino sin temor a los tiburones. Si quieren acompañarme podrán verlo...

Lo siento mucho, pero...

No está muy lejos. A diez minutos de aquí.

Lo siento, estoy muy ocupado...

Desde luego estos señores pueden venir también.

No puede ser. NO TENGO TIEMPO.

Está bien. Entonces, vamos ahora mismo.

Les agradezco su visita.

No hay de qué...

No, no, Tornasol, Silvestre Tornasol.

Un piso más y ya estamos.

Es aquí.

Es un nuevo modelo de gasógeno.

Y esto es un aparato para cepillar la ropa...

Parece buena, ¡eh!, esta máquina...

No. Una máquina para cepillar la ropa. Uno de mis últimos inventos...

ROUM AY OH

OOH

Los vestidos son aspirados al interior del aparato y pasan bajo los cepillos durante treinta segundos. Cuando salen están como nuevos...

¡Mil millones de rayos y truenos!

¡Le voy a decir lo que pienso a este fenómeno!

¡Me va a pagar un traje nuevo!

¿Eso? Sí, es para cepillar los trajes.

Pero esto es mucho más interesante. Como no dispongo de mucho sitio, y mi cama es bastante grande...

... he inventado la cama-armario.

¡Especie de bachibuzuk! Mire lo que está haciendo...

¡Pero mire lo que hace, badulaque!

¿Para levantarla? Es fácil.

Nunca hubiese creído que unas personas que parecen tan serias hicieran esas chiquilladas...

Aquí está mi aparato para explorar el fondo del mar....

Como ustedes pueden ver es un pequeño submarino. Funciona gracias a un motor eléctrico y tiene suficiente oxígeno para dos horas...

Les voy a enseñar cómo funciona el aparato...

? CRAC

¡No comprendo nada! ¡Sabotaje! No, señor, le digo que es un sabotaje. ¡No puede ser otra cosa!

Lo sentimos mucho, señor Tornasol, pero su aparato no nos interesa.

¿Un dos plazas? ¿Necesitan un dos plazas?

No, señor Tornasol, le digo que su aparato no nos conviene.

¡Muy bien!

Entonces haré uno más pequeño. Estará terminado dentro de ocho días.

Varios días después...

Todo está preparado. No nos falta más que una escafandra... Hace tres días que ando y recorro los almacenes especializados y nada...

¡Mire! Qué suerte...

Entremos a ver...

SE VENDE
TRAJE COMPLETO DE BUZO COMO NUEVO

¡Buenas! Queremos ver la escafandra.

¡Ah! Sí, la escafandra... Vengan...

Ahí está...

¡Cuidado, grumete, cuidado! El dinero no trae la felicidad...

?

¿Por qué me dice usted eso?

¿Por qué? Porque veo que vas a buscar un tesoro...

¿Usted lo ve? ¿Y en qué lo ve?

Lo leo en tu cara...

¿En mi cara? Pero ¿qué tiene mi cara? ¿Ve usted algo?

No, se lo juro...

¡Mil rayos!

¡Es horrible! ¿Qué me ha pasado?

Nada, capitán. Se está usted mirando en un espejo cóncavo. Y mire uno convexo.

Ah, bueno...

Aquí hay otro espejo. Quiero quedarme tranquilo.

¡Oh!

Siete años de desgracia.

Y me debe ciento cincuenta por el espejo.

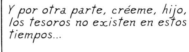

Y por otra parte, créeme, hijo, los tesoros no existen en estos tiempos...

Hablemos de la escafandra, que para eso hemos venido.

Dos mil.

Bueno, la recogeremos esta tarde. Vamos, capitán,

Acuérdate de lo que digo. ¡No encontrarás el tesoro!

Al día siguiente...

SIRIUS

¡Buenos días, capitán! ¿Cómo está?

¡Muy mall!

Sí, mal. Muy mal... Estoy enfermo... Debe de ser la gripe... Y además lo he pensado bien... Es decir que... En fin, quiero decir que no me marcho...

!

¡Vamos! ¡No lo dice en serio!

Muy en serio. No soy supersticioso, pero romper un espejo antes de emprender un viaje... No, yo no me embarco.

¡Buenos días!

¡Malas noticias, señores! ¡Máximo Pájaro se ha fugado!

¿Qué le decía yo? Ya empiezan las desgracias.

Así es. Este diablo de anticuario ha conseguido escaparse mientras le llevaban al Juzgado para ser interrogado.

¡Mala noticia!

Capitán, una carta para usted.

¿Para mí? ¿De quién será?

¡Mil rayos y truenos! ¡Esto es una desgracia!

¿Malas noticias, capitán?

Lee tú mismo. ¡Es horrible!

Doctor P. Grande

Estimado capitán:

Tras haber examinado su caso, diría que hay que diagnosticar una insuficiencia funcional del hígado.

Por esta razón le propongo seguir la dieta siguiente:

Alimentos prohibidos

Todas las bebidas alcohólicas (vino, cerveza, sidra, aperi—

Buenos días, señores. Espero no molestar- les.

¿No? Vengo a anunciarles que mi aparato está termi- nado, y quisiera saber cuán- do pue- do embarcarlo.

¡Ni hablar de embarcar! ¡Su aparato no nos interesa!

¿Mañana?

Mañana no. ¡Nunca!

¿Hoy mismo? Entonces voy a bus- carlo...

Puede ser que esté sordo, pero por lo menos sabrá usted leer.

SU A

SU APARATO NO NOS INTERESA

¡Esta vez lo ha comprendido!

Así lo espero.

¿Es verdad, capitán? Tintín nos dice que usted no saldrá del puerto. Parece que usted ha roto un espejo y ahora tiene miedo...

¿Miedo?

¿Yo, miedo? ¿Miedo de qué? ¿De quién? ¿De usted tal vez? ¡Sepa que el capitán Haddock no tiene miedo de nada! ¿Entendido? ¡Mañana saldremos!

¡OOH!...

Ya empezó el viaje, Milú.

¡Tintín!

Un aviso...

El comandante del puerto al comandante del **SIRIUS**. Disminuyan velocidad. Una lancha ha salido a su encuentro. ¿Qué significa esto?

Ahí viene una lancha...

Aún no veo bien al pasajero, pero si es el señor Tornasol...

¡Hernández y Fernández! ¿Para qué vendrán?

¡Aquí estamos! Les acompañamos.

¿Nos acompañan?

Sí. Tenemos orden de protegerles.

¿Protegernos? ¿Quién nos amenaza?

Están ustedes en peligro. Ayer por la tarde se vio a Máximo Pájaro cerca del **SIRIUS**. Puede ser que intente algún truco.

¡Que lo intente! ¡Pobre de él!

Desde luego, desde luego. Pero de todas maneras, ahora que estamos aquí pueden dormir tranquilos.

Yo aun diría más: pueden dormir tranquilos.

Ya veremos. Mientras tanto hay que ver dónde los vamos a meter. Creo que hay dos literas libres en proa. ¿Les conviene?

Muy bien.

¡Capitán! ¡Capitán!

¡Capitán, esto no puede ser!

¿Qué?

¡Milú me ha robado una caja entera de galletas!

¿Qué?

¿Milú?

¡Sí, Milú! He visto que andaba por la cocina.

¡Milú! ¿Dónde está ese miserable?

¡Milú!
¡MILÚ!

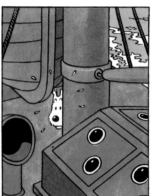

No veo a ese sinvergüenza. Pero no tema, es la última vez que lo hace.

Bueno.

¿La proa se encuentra delante?

Eso es, delante.

Vamos a vestirnos y a mezclarnos discretamente con la tripulación.

Buena idea.

Tenemos que parecer viejos lobos de mar.

Antes de nada tenemos que mascar tabaco. Todos los viejos lobos de mar lo hacen. Toma.

¿Qué hay que hacer, capitán? Vamos derechos hacia los pescadores.

Dale a la sirena y vira a estribor.

TUUUUUT

¡Socorro! Mi... ¡mi tabaco!

Yo...¡Yo también! ¡Lo tragué!

Al día siguiente...

¡Esto es demasiado! ¡Tiene que acabarse!

¡Sí, capitán, ayer era una caja de galletas! ¡Esta mañana ha desaparecido un pollo!

¡Qué canalla!

¡Milú! ¡Milú! ¿Dónde se estará escondiendo? ¡Milú!

¡Milú! ¡Milú!

¡Milú! ¿Dónde se habrá metido?

¿Lo vio usted escaparse con el pollo?

A decir verdad, no lo he visto, pero supongo...

¡Supongo! ¡Supongo! Antes de acusar a alguien se necesitan pruebas. ¿Quién me dice que no se ha comido usted el pollo?

Por la noche...

Buenas noches. De todas formas, vigila un poco a Milú.

No tema. No le perderé de vista. Buenas noches, capitán.

¡LADRÓN! ¡ESO TÚ!

Parece que son los dos policías.

¿Qué pasa aquí?

! !

¡Me ha robado mi almohada!

¡Mentira! ¡Él me ha robado mi manta!

¿No les da vergüenza? ¡Discutir de tal forma por estas tonterías, a su edad! ¡Qué es eso!

A ver si dormimos en paz.

¡Que lo lleven los demonios!

?

¿Qué pasa, capitán?

¡Que ha desaparecido mi botella de whisky!

¿Desaparecido? Será alguien que cuida de su salud y quiere obligarle a seguir su dieta.

¡Ríete, ríete! Pero si atrapo al miserable que lo ha hecho...

Mañana buscaremos. Ahora vamos a dormir. Estoy muerto de sueño.

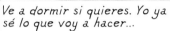

Ve a dormir si quieres. Yo ya sé lo que voy a hacer...

¡Rayos y truenos!

BUM BUM BUM

¡Rápido, Tintín! ¡Ven enseguida! ¡No tenemos un segundo que perder!

¡Vamos a saltar por los aires! ¡Hay una máquina infernal en la bodega!

Bajé a la bodega para abrir una caja de whisky. ¡En vez de whisky había una máquina infernal!

Aquí es. ¡Cuidado!

Mira lo que es...

Cuidado... ¡No te acerques!
Al contrario, hay que saber a qué atenerse.

¿Qué es?

¡Chapas!

¿Chapas?

Tienes razón. ¿Entonces no es una bomba?
Claro que no. Vamos a ver otra caja...

¡Más chapas, mil diablos!

Y en esta...
¡Más chapas!

¡Esto es el colmo! ¡No queda ni una gota de whisky a bordo! Si cojo al miserable que me ha hecho esto...

Vamos, capitán. Mañana intentaremos aclarar el misterio...

Al día siguiente.

¡De todas formas no se puede acusar a Milú! Galletas y pollos, tal vez, ¡pero una botella de whisky!

¡OH!

¡Pero si está borracho!

Milú, ¿qué has hecho? ¡Puaj! ¡Apestas a whisky!

¡Andando! ¿Dónde has encontrado eso...?

¿Tú también quieres beber?

Mira...

¡Mire! Se ha roto la botella ahí arriba.

Aquí está.

¡Mil rayos! Si cojo al que...

Escuche...

RRR... RRR... RRR...

¡Alguien está durmiendo en esta chalupa!

No puede ser. Las amarras están en su sitio.

¡Mil rayos! ¡Por este lado están sueltas! Hay alguien en la chalupa.

¡Rayos y truenos!

RRR... RRR... RRR...

GALLETAS

¡Mil millones de rayos! ¡Levántese! ¡Arriba!

¡Mi whisky, miserable! ¿Dónde está? Conteste... ¿Dónde está mi whisky?

A decir verdad he dormido muy mal. Pero espero que me de un camarote...

¡Un camarote! ¡Le voy a dar camarotes! ¡Le voy a meter en la bodega para el resto del viaje, a pan y agua! ¿Dónde está mi whisky?

Está a bordo, naturalmente

¡Está a bordo! ¿Dónde? Dígame...

Desde luego, está en piezas sueltas...

¿En piezas sueltas? ¿Mi whisky en piezas sueltas?

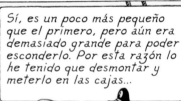

Sí, es un poco más pequeño que el primero, pero aún era demasiado grande para poder esconderlo. Por esta razón lo he tenido que desmontar y meterlo en las cajas...

Pero ¿el whisky que había en las cajas dónde lo ha métido? ¿Se quedó en el puerto?

¡Ah, no!

No, no. Fue la noche antes de salir. Sobre el muelle había cajas para embarcar, saqué las botellas que contenían y metí mis piezas sueltas...

¡Miserable! ¡Analfabeto! ¡Cretino! ¡Le voy a tirar por la borda! ¡Por la borda! ¿Lo ha oído...?

¡Gracias, capitán, gracias! ¡No esperaba otra cosa de usted! Ya verá, no le pesará el haberme acogido con tanta amabilidad.

Pasaron varios días...

SIRIUS

Mira. Estamos en el punto indicado en los pergaminos. Pronto deberíamos ver la isla cerca de la cual se hundió **EL UNICORNIO**...

¿Y esta isla no está en ningún mapa?

No, pero eso ocurre a veces cuando se trata de islas pequeñas. Vamos a ver si la descubrimos...

No veo nada todavía... ¿Y tú?

Nada.

¿Han visto algo?

Todavía nada. Al primero que la descubra le ofrezco una botella de champán...

¡Allí!

¿Dónde está la isla? No veo nada...

Sí, sí, capitán, era un tiburón. Le aseguro que lo he visto.

Nada. No se ve nada. Es raro.

¿Y cómo se llama esa isla?

¿Cómo quiere que lo sepa? No figura en las cartas...

¿Y está usted seguro de que estamos cerca?

Seguro del todo. Ayer calculé nuestra posición.

Claro que sí... Pero... digo... puede ser que se haya usted equivocado...

!

¿Conque me he equivocado en mis cálculos? ¡Están sobre mi mesa! Vayan a verificarlos. ¡Sí, vayan! ¡Enseguida!

Dígame, capitán, ¿es un pez ese animal que ha saltado fuera del agua?

¡No, es un piano de cola!

¡Ya me parecía que no podía ser un pez!

Poco después...

Perdónenos, capitán, pero había un error en sus cálculos. Mire dónde estamos...

Tienen razón... Me había equivocado... Señores, descúbranse...

¿Por qué hay que descubrirse, capitán? Yo...

Silencio...

? ?

Ya está...

Pero capitán, explíqueme qué pasa...

Pasa, señores, que según sus cálculos, nos encontramos en este momento en la basílica de San Pedro de Roma...

¡Rayos y truenos! ¿Dónde se esconderá esta isla del diablo?

Empiezo a creer que el caballero de Hadoque se burló de nosotros...

Yo también empiezo a creerlo...

Vamos a ver. Deben de ser las doce. Voy a tomar el sextante...

Listo. Y ahora vamos a calcular dónde estamos...

El punto indicado por los pergaminos era: 20° 37' 42" de latitud norte, 70° 52' 15" de longitud oeste. Nuestra posición es la siguiente: misma latitud, 71° 2' 29" longitud oeste.

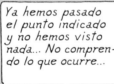

Ya hemos pasado el punto indicado y no hemos visto nada... No comprendo lo que ocurre...

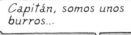

Capitán, somos unos burros...

!

¿Qué quieres decir?

Usted ha calculado los grados de longitud según el meridiano de Greenwich, ¿verdad?

Claro que sí.

¡Espere! El caballero de Hadoque habrá calculado seguramente según el meridiano de París, el cual se encuentra a más de dos grados al este del meridiano de Greenwich.

¡Caramba! ¡Tienes razón! ¿Cómo no hemos pensado en ello? Hemos ido demasiado lejos hacia el oeste. ¡Tenemos que volver!

¡Eh, timonel! ¡Vira a babor! ¡Y derechos hacia el este!

Capitán, ¿qué pasa? Parece que damos media vuelta.

Sí, señor profesor, damos media vuelta.

¡Ah, bueno! Creía que dábamos media vuelta...

¡Cómo se puede equivocar uno! Habría jurado que dábamos media vuelta...

Por la tarde...

¡Ahí está por fin nuestra isla del tesoro!

Es demasiado tarde para desembarcar hoy. Vamos a echar el ancla y mañana por la mañana iremos a explorar...

Eso es.

El día siguiente...

Lleven el bote a tierra. Voy a explorar.

PAM

¡Dios mío! ¿Qué le habrá pasado?

¿Qué pasa, capitán? ¿Está herido?

No, me he tropezado con esa madera y me he caído. Disparé sin querer...

¡AAAY! ¡AAAY!

¡Calma! ¡Calma! ¡AY!

¡Cuidado!

¡AAAY!

¡AY! ¡AAAAY!

Deja que se las arreglen. Ayúdame a sacar este pedazo de madera...

¿Qué habrán descubierto?

Señores, aquí están los restos del bote en que el caballero de Hadoque llegó a esta isla...

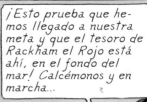

¡Esto prueba que hemos llegado a nuestra meta y que el tesoro de Rackham el Rojo está ahí, en el fondo del mar! Calcémonos y en marcha...

¡GUAU!

¡Es Milú! Iba delante...

¿Dónde has encontrado este hueso, Milú? Vamos, rápido, llévanos...

¡Mil demonios! ¡Son segura- mente los restos de los pira- tas muertos en la explosión del UNICORNIO!

No puede ser, capitán...

... porque en ese caso los hubiése- mos encontrado cerca de la playa. Mire esta arma. Deben de ser in- dígenas muertos en un combate y devorados por sus enemigos.

¿Devorados? ¿Enton- ces hay caníbales en es- ta isla? ¿Antropófagos?

No tardaremos en averiguarlo. Siga- mos.

¡Una piedra en el zapato!

¡Sigan! Los alcanzo ense- guida...

¡Miren!

¡Un fetiche!

Sí, un fetiche... ¡Pero es extraordinario!

¡Increíble! ¡Es el caballero de Hadoque!

¡Miren qué boca! Los indígenas se asustarían al oír su voz. Me figuro las caras que pondrían cuando oyeron por primera vez "¡Que lo lleven los demonios!"

¡QUE LO LLEVEN LOS DEMONIOS!

¿Qué le pasa, capitán?

¿Quién gritó así?

¿Cómo? ¿No ha sido usted?

No, no he sido yo. Pero... ¡rayos y truenos!

Sí. Es el caballero de Hadoque.

¡QUE LO LLEVEN LOS DEMONIOS!

¡Ha sido por aquí!

¡Nadie!

¡Esta isla está embrujada, capitán! ¡Volvamos pronto a bordo!

Yo aun diría más: volvamos a bordo...

¡Antropopiteco! ¡Cafre!

¡Más cafre serás tú, especie de ectoplasma!

94

¡Vamos, cálmese, capitán! ¡No son más que loros!

¡Bandidos!

Déjelos y sigamos adelante...

Tienes razón... ¡Vamos!

¡Mi rifle! ¿Quién lo ha cogido?

Lo he dejado aquí hace un segundo.

Estará entre la hier... ba...

¿Y?...

¡Nada! ¡Ha desaparecido!

¡Mil rayos!

¡Escuchen!

¿Qué gritos son estos?

Crui.. crui...
Crui... crui...
Crui... crui...

Crui... crui... crui...

¡Especie de babuinos! ¡Monos! ¡Macacos! ¡Dejad ese rifle! ¡Gicopitecos!

Yo lo arreglaré, capitán. Déjeme. Los voy a asustar.

¡Manos arriba! ¡Pum! ¡Pum!

¡No haga eso!

Ya está. Han soltado el rifle. ¡Ahí viene!

¡Qué graciosos son ustedes! Miren. ¡Unos centímetros más y se acabó el capitán Haddock!

Bueno, ¡todo acabó bien! Y ahora volvamos, ya sabemos que esta isla está desierta.

Eso es. Volvamos.

¡Hombre! ¡Se me olvidaba!

¡El fetiche! ¡No lo podemos dejar aquí!

Mira, ve, la ola marina,
Mira, ve, las vueltas que da.
Tiene un motor
Que camina para delante
Tiene un motor
Que camina para
atrás.

¡Cuidado! ¡Un tiburón!

¡Mil demonios! ¡Por poco se me lleva la mano!

¡Otro! ¡Y otro...!

¡Dame el rifle! ¡Les voy a decir unas palabras!

Oiga, capitán, empiezo a creer que el aparato del señor Tornasol nos va a ser muy útil...

Al día siguiente...

¿Estás bien decidido?

Sí. El señor profesor me ha explicado claramente cómo funciona. Todo irá bien...

¡Espere! ¡Espere! ¡Un momento!

Se me olvidó decirle algo... Cuando haya descubierto el barco, apriete el botón rojo que está a su izquierda. Así se soltará una cajita que contiene un producto que produce humo al contacto del agua, y de esta forma sabremos dónde se encuentra usted...

¿Un botón rojo? Aquí...

¡No! Rojo... El botón rojo. Eso es... Buena suerte.

Ya se sumergió...

Qué divertido, ¿eh, Milú?

¡Cuánta agua! ¡Cuánta agua!

Ojalá no pase una desgracia ahora...

No hace una hora. Apenas diez minutos...

¿Qué pasa? ¡Se ha parado el motor! ¡No avanzamos!

?!

¡Esto pinta mal, Milú! La hélice se ha enredado en las algas...

A ver si salimos en marcha atrás...

¡Tampoco! ¡La hélice está completamente bloqueada y el motor parado!

Ay Milú, ¿cómo saldremos de esta?

No hay más remedio que activar el dispositivo fumígeno: empujaremos el botón rojo y así sabrán dónde nos encontramos.

Ya está...

¡Allí! ¡El humo! ¡Ha descubierto los restos del UNICORNIO!

¡Allí, señor profesor! ¡Mire! ¡El humo! ¡Ha descubierto los restos del barco!

¡Capitán, esto es grave! ¡Se ha equivocado usted! No es el barco... Es Tintín y ¡no puede subir!

¡Nunca debería haberle dejado montar en ese aparato del demonio!

Sí, dos horas... Tenía dos horas de oxígeno. Apenas le queda suficiente oxígeno para diez minutos más o menos...

Ojalá se den prisa... Respiro cada vez peor...

¿Qué haremos? Se está ahogando..

¿Buceando? No, no, capitán... Durante el tiempo que tarde en bajar, Tintín se ahogará.

Más vale tirar el rezón...

¿El rezón? ¿Para qué?

¡Eso es! ¡Agarraremos el aparato y tiraremos de él hasta que se rompan las algas!

¡Deje bajar! Más... más... más... poco a poco.

¡Un rezón! Me van a subir... Voy a vaciar los depósitos de agua...

¡Ha comprendido! Vacía sus depósitos para aligerar el submarino. Un poco más a la izquierda... Así... Tire...

¡Estamos salvados! ¡Por fin!

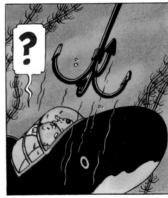

?

¡Falló! ¡El rezón no estaba bien agarrado...! Deje bajar... más... más... ¡basta! Un poco a la derecha... a la izquierda... Suba poco a poco...

¡Tire! ¡Tire! Pero ¿qué hace? ¡Tire!

¡Tire! ¡Más fuerte!

¿Y qué cree usted que hago? ¡Rayos y truenos! ¿Es que parece que esté tocando la flauta?

¡Rayos y truenos! ¡Ojalá no haya tiburones en los alrededores!

¡Aire! ¡Por fin!

¡Bravo! ¡Está salvado!

¡Todo va bien! El capitán está otra vez en el bote..., sube la boya a bordo... Y lanza un cabo a Tintín... Ahí vienen...

Pues se ha salvado de una buena nuestro amigo Tintín...

Se equivoca... Son las algas que han inmovilizado la hélice... Ya lo veremos en el barco...

¿Ve usted? Es lo que yo decía... Son algas...

¿Usted cree? Yo creía que eran algas...

¡Algas o no, nunca volverán a verme en ese aparato!

¡Bueno! Arréglenlo todo bien y Milú y yo volveremos a salir.

Ojalá no les ocurra nada malo esta vez...

¿Qué hago? ¿Se lo digo? ¿No se lo digo?

¡Se lo voy a decir!

Capitán, tengo una mala noticia para usted.

¿Mala noticia?

No. Una mala noticia. EL UNICORNIO no se encuentra aquí. Mire...

¿Qué es este chisme?

Es un péndulo... He hecho un estudio radiestésico y he llegado a la conclusión...

¿Gracias a la cosa esa?

Sí, mucho más hacia el oeste. Mire... El péndulo se mueve de este a oeste.

¿Ve usted? Indica el oeste. En esa dirección se encuentra **EL UNICORNIO**...

¡Allí, capitán! Mire el humo...

Y ahí viene el submarino... ¡Ya está! ¡Ha encontrado el barco!

¿Lo has encontrado?

El oeste. ¡Siempre el oeste!

¡Sí, he descubierto **EL UNICORNIO**! ¡Puede preparar la escafandra!

¿Crees que irás bien?

¡Claro que sí! Siguiendo sus instrucciones todo irá bien.

¡Bueno! No olvides que para subir tienes que jalar dos veces de la cuerda. Si hay peligro, varias veces seguidas...

¡Entendido!

¡Vamos! ¡Bombeen!

¡Vamos!

?

¡GUAU! ¡GUAU!

¡GUAU! ¡GUAU!

¡Ya está! ¡Llegó al fondo!

¡Aquí está EL UNICORNIO!

¡Cáspita! ¿Qué pasa? ¡No llega el aire!

¡Mil rayos! ¿Qué están haciendo ahí en vez de darle a la manivela?

¿Nosotros? Estamos descansando un poco....

¿No les da vergüenza? ¡Pedazos de cretinos! ¡Trabajen y duro! ¡Mil rayos!

¡Uf, esto está mejor! Ya llega aire. ¡Menudo susto me he llevado!

Dígame, capitán, no comprendo esto. Puesto que EL UNICORNIO no se encuentra aquí, ¿para qué bajó Tintín?

¡Ha ido a buscar anchoas!

¿En lancha? ¿Dónde está esa lancha?

¡Dos veces! ¡Quiere que le subamos! ¡Estoy seguro de que ha encontrado algo!

¡Arriba! ¡Sube!

¿Ahí está?

¿Qué traes?

¡Una cruz de oro, con piedras preciosas! ¡Y un sable! ¡Qué hermosa es la cruz!

¡Creo que empezamos bien!

¿Por qué motivo me habrá dicho que Tintín se ha ido en lancha?

Esto va bien, pero no es nada comparado con lo que descubriremos aún... Además, van a ver... Voy a bajar yo ahora...

Dime. ¿No hay tiburones?

No he visto ni uno.

Aquí está su casco.

Bueno.

OH!... AH!... OH...

¿Qué? ¿Qué le pasó?

¡Mi barba, demonios!

!

Ya está bien su barba.

Bueno. Cierra bien el casco y vigila a los de la bomba...

Ahora en busca del tesoro...

Pocos minutos después...

¡Dos golpes repetidos! ¡Es la señal de alarma!

¡Hay que subirlo pronto! ¡Estoy seguro de que le ha ocurrido algo!

¡Ojalá no se haya encontrado con algún tiburón!

¡Ya sale!

¡Una botella! ¿Qué será eso?

¡Una botella de ron! ¡Ron de Jamaica! ¡Añejo! ¡Tiene doscientos cincuenta años! ¡Qué les parece!

GLU GLU GLU

GLU GLU GLU

¡Magnífico! ¡Esto es magnífico! ¡Pruébalo! ¡Sí, sí, es para ti! ¡Yo voy enseguida a buscar otra para mí!

¡Esto es el colmo! ¡Se ha ido sin casco!

¡Que los lleven los demonios! ¡Otra vez se han olvidado de bombear esos cataplasmas!

¡Cebollinos! ¡Ectoplasmas! ¡Bachibuzucs!

Pero si ha sido usted...

¡Cállense! Les han dicho que bombeen; había que bombear y ¡nada más!

Es inútil que se seque, capitán, hay que vaciar el buzo. Desnúdese...

¿Desnudarme? ¡Nunca jamás!

Dos minutos para respirar y bajo.

¿Lo ve? ¡Se lo había dicho! Su escafandra está llena de agua... ¡Hay que vaciarla!

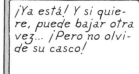

¡Ya está! Y si quiere, puede bajar otra vez... ¡Pero no olvide su casco!

¡Vamos! Y cuidadito con lo que hacen. No paren de bombear hasta que se les ordene. ¿Entendido?

Bueno, bueno, bombeamos...

Otra vez se fue...

La misma noche...

¡Buen día! Primero la cruz y luego... ¡sobre todo este ron! ¡Es algo magnífico!

Claro que sí, pero hubiese preferido encontrar el tesoro...

Ya lo encontraremos mañana, ¿verdad, señor Tornasol?

Tal vez, pero, a mí me parece que es ron...

CHIIP CHIIP CHIIP

¡Calle!

Parece un pájaro...

Yo creo que es el chirrido de una rueda mal engrasada...

CHIIP

¡Vamos a ver! Quiero saber lo que es...

¡Mire, capitán! El ruido viene de la bomba...

¿Pero qué hacen aquí a estas horas?

Todavía no nos ha ordenado parar, capitán... Así es que bombeamos...

Yo aun diría más: bombeamos...

¡Vayan a dormir, payasos! Ya les daré ocasión de bombear.

El día siguiente...

Algo me dice que Tintín va a descubrir el tesoro esta mañana...

Otra botella de ron... Vamos a dejarla para el capitán.

¡Hombre! ¿Qué será esto?

¡Un cofre! ¡Dios mío! ¿Será el tesoro de Rackham el Rojo?

¡A ver lo que contiene este cofre! ¡Arriba deprisa!

¡Caramba! ¡El cofre!

¡Se lo ha tragado! ¡Y ahí viene otra vez!

¡Va a volver! ¿Qué hago? Si tuviera por lo menos un arma...

A ver con esta botella...

Vamos a proteger la espalda... Así no podrá cortarme el tubo de aire...

¡Dios mío! ¡Qué golpe!

¡Gracias a Dios no ha podido romper la escafandra!

?

¡Está borracho!

Parece que se ha dormido... Hay que aprovechar para coger el cofre...

¡Dos golpes! ¡Quiere que lo subamos!

¡Van a ver! ¡Estoy seguro de que nos trae el tesoro!

¡Mil rayos y truenos! ¿Por qué se moverá tanto?

?

¡Un tiburón! ¡El fenómeno ese ha pescado un tiburón! ¿Y qué quiere que hagamos con él?

Habría que preguntárselo...

¡Eso es! Mande otra cuerda y súbanlo...

Y ahora vamos arriba... ¿Qué va a decir el capitán?

¡Ya está! ¡Lo encontré!

¡Son pergaminos viejos! ¡Tal cual! ¡Pergaminos viejos!

¡El tío este me va a volver loco!

¿Y vosotros, mil rayos, qué estáis haciendo?

¿Yo? Pues ya lo ve, ayudo a bajar a mi amigo. No se apure, he visto cómo lo hacía usted y...

¿Y la bomba? ¿Se cree que va a funcionar sola la bomba?

¡Yo lo hago, bicho raro! Por lo menos no tendré que preocuparme de ello...

¡Dios mío! ¿Qué veo en cubierta?

¡Las suelas de plomo! ¡Ha olvidado las suelas de plomo!

Quince días más tarde...

Y dale con la bomba...

Y dale...

¡Ya pueden parar, mil rayos! ¿No ven que Tintín está aquí?

¿Qué?

¡Nada! ¡No hay nada! Lo he mirado todo palmo a palmo y no hay nada...

Eso es lo que yo decía: ¡no lo encontraremos!

¡Vamos, ya verá...!

Dígame, ¿qué es la cruz aquella?

¿Una cruz? ¿Dónde ve una cruz?

No. Le hablo de la cruz que está allí, en la isla...

Es una cruz, ¿verdad?

Pues el señor Tornasol tiene razón, capitán. Hay una cruz en el monte.

Una cruz...

¿Eso cree?

¡Mil rayos! ¡Es una cruz!

¿Sí? Pues yo hubiese creído que era una cruz...

¡Hurra! ¡Viva! ¡Ahora comprendo!

?

¡Señor Tornasol, señor Tornasol, nos ha salvado!

♪♪... ¡La cucaracha, la cucaracha, ya no puede caminar...! ♪♪♪

¡Pronto, capitán! ¡Picos! ¡Palas! Volvemos a la isla...

¡Sí, capitán, el tesoro se encuentra al pie de la cruz! Recuerde los pergaminos: "y lucirá la cruz del Águila". ¡Esa es la cruz del Águila!

¡Mil rayos! ¡Tienes razón!

¡Hernández! ¡Fernández! ¡Picos! ¡Palas! ¡Pronto! ¡Todos al bote!

¡Señor Tornasol, se lo debemos a usted todo!

¿Qué loro?

No, le digo que descubriremos el tesoro gracias a usted...

Pues yo estoy seguro de que es una cruz...

Claro que sí. Es una cruz.

¿No? ¿Usted cree?

¡Mono! ¡Espantapájaros!

¡Hola, amigo!

¡Aquí está!

¡Señores, la cruz del Águila!

¿Qué le había dicho? Es una cruz, ¿sí o no?

¿Qué querrán decir estas marcas?

Es un calendario. Su ancestro hizo como Robinson Crusoe: contó los días... Vea, hay una marca pequeña para los días de la semana, y una grande para los domingos.

¡Manos a la obra, señores! ¡Doy una botella de ron al que encuentre el tesoro!

¿Están buscando algo?

!

¡Déjenos en paz con su péndulo del diablo y échenos una mano!

Siempre al oeste...

¿Qué estarán buscando aquí?

Es imposible... ¡No puede ser!

¿Qué? ¿Qué es imposible?

Que el tesoro se encuentre aquí.

¿Cómo? ¿Por qué?

Piénselo bien. Suponiendo que el caballero haya sacado el tesoro del UNICORNIO, ¿para qué lo iba a enterrar aquí? ¿Qué hubiese hecho usted? Al marchar de la isla se lo hubiese llevado...

Pero entonces...

¿Entonces? El tesoro se encuentra probablemente en el fondo del mar. ¡Esta es una pista falsa!

¡Y la culpa de todo la tiene el animal ese de Tornasol!

Sí. Es culpa suya, ¡analfabeto diplomado!

Eso es lo que no paro de decir: está al oeste.

¡Al oeste! ¡Al oeste! ¡Se lo voy a mandar al oeste!

¡OH!

¡Ahora se fue al oeste su péndulo del diablo, atleta de pacotilla!...

¡GUAU! ¡GUAU!

¡Así! ¡Así! ¡A ver si desaparece de una vez este maldito péndulo!

¡Se acabó! ¡Y que no se hable más de él! ¡Ahora andando al barco!

Está enfadado.

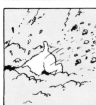

¡Qué perrito más simpático!

¡No, Milú, basta de juego...!

¿Qué le pasa al capitán? Me parece que está enfadado.

¿Dónde están los siameses?

Creí que nos seguían...

¡HERNÁNDEZ! ¡FERNÁNDEZ!

No se apure. Me lo trajo el perro.

¡Ya he tenido suficiente! ¡Esta vez se va a enterar!

¡Capitán, por favor!

¡Déjeme! ¡Tengo que desfogarme en algo!

¡Truenos y rayos! Es suficiente, ¿no?

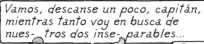

Vamos, descanse un poco, capitán, mientras tanto voy en busca de nues- tros dos inse- parables...

Bueno. Vaya...

¿Por dónde se habrán metido esos...?

¿Adónde ha ido Tintín?

¡Al oeste!

Me parece que los oigo...

¿Qué hacen aquí?

Pues estamos tapando el agujero. Más vale... La gente es tan distraída...

Al día siguiente...

¿Cree usted que vale la pena seguir buscando?

Unos días más, capitán. Hoy estamos a 9... Si para el 15 no hemos encontrado nada, abandonamos y volvemos a casa...

Como quieras...

Y además, no le pesará. Aprovecharemos para subir alguna pieza del **UNICORNIO**. El mascarón de proa, por ejemplo...

¡Y dale con la bomba!

¡Que llegue el 15 de una vez! ¡No puedo más de este oficio!

Todavía no se le ha visto el pelo a Tornasol. ¿Estará enfermo?

10
JUEVES

11
VIERNES

¿Y Tornasol? Hace cuatro días que no sale...

12
SÁBADO

Sí... EL CORREO. ¿Qué? ¿EL SIRIUS? ¿Llegó a puerto? ¿Está seguro? Bueno... Eso es... Gracias...

¿Diga? ¿Sinsal? Vaya inmediatamente al puerto. EL SIRIUS acaba de llegar... Hágame un buen artículo sobre el asunto...

Capitán, vengo a decirle adiós. Mañana por la mañana mandaré a buscar mi aparato.

Ningún problema...

Y quisiera agradecerle por la amabilidad y la simpatía que usted me manifestó durante todo el viaje.

Bueno, bueno...

¡Sí, sí, capitán! Gracias a usted guardaré un buen recuerdo de mi viaje con ustedes...

¡Yo también!

BOUM

Perdone... Me falló el pie...

Me llamo Julio Sinsal, del periódico EL CORREO.

¿EL CORREO? ¿No es el famoso periódico que anunció nuestra salida?

El mismo. Y ahora quisiéramos publicar un artículo sensacional sobre su expedición. ¿Le puedo pedir algunas declaraciones?

Claro que sí...

Pero estoy muy ocupado. Aquí está mi secretario, el señor Tornasol, que contestará con mucho gusto a todas sus preguntas...

Encantado...

¿Y ese tesoro, señor Tornasol?

Sí... sí....

Estoy seguro de que lo lleva en esa maleta...

Gracias, la llevaré yo mismo...

¡Es natural! Y dígame, ¿el tesoro en qué consiste?

¿No? ¡No puede ser!

No. Le pregunto en qué consiste el tesoro que han encontrado. ¿Oro? ¿Perlas? ¿Diamantes?

¡Es increíble lo que usted dice!

Señor Tornasol, no veo la relación...

¡Claro que no! Le voy a dar un consejo: no hable de esto con nadie...

No tema por mí. Yo no se lo diré a nadie...

Nuestra misión ha terminado. Máximo Pájaro se habrá enterado de que estábamos a bordo y no se ha atrevido a hacer nada.

Sin duda. ¿Ahora vuelven a casa?

No. Estamos un poco cansados. El viaje, verdad, y sobre todo el bombeo... Así es que vamos a pasar unos días al campo donde un amigo...

Pues que lo pasen bien.

¡Se acabó con la bomba! ¡Vamos a ocuparnos de sanos trabajos del campo!

¡Eso es, se acabó con la bomba!

Y cuando acaben con la avena, pueden ponerse con la picadora de paja...

Pocos días después...

RRRING

¡Buenos días!

¡Señor Tornasol! ¡Qué grata sorpresa!

Bien, gracias. ¿Y usted? Vengo a traer los pergaminos...

¿Los pergaminos? ¿Qué pergaminos?

No. Los pergaminos que estaban en el cofre. ¿No se acuerda? Pues los he pegado sobre unas hojas de papel. Algunos se pueden leer, pero otros están del todo deshechos...

Además me parece que esto le interesará al capitán...

¡Caramba! ¡Ya lo creo!

¡Rápido, a casa del capitán!

"Luis, por la gracia de Dios, rey de Francia, en recompensa por los méritos de nuestro querido y valiente Francisco, caballero de Hadoque..." ¡Mil rayos!

¡Lo que sigue! ¡Lea lo que sigue!

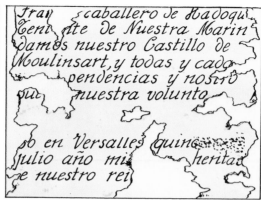

Fran... caballero de Hadoqu... ...Ten... ...te de Nuestra Marin... ...Damos nuestro Castillo de Moulinsart, y todas y cada... ...pendencias y nostro... ...qu... nuestra volunto... ...so en Versalles quince... ...julio año mi... ...hentas... ...e nuestro rei...

¡Mil rayos! ¡No es un sueño! ¡Es el castillo de Moulinsart! ¡El castillo de mis antepasados! ¡Es increíble!

Pero lo grande es que... Van a ver...

Mire... Lea esto...

¿Qué le parece?

EN LA SALA DE VENTAS POR NOTARIOS

DESPACHO DEL NOTARIO P. ACALLE

El notario P. ACALLE pondrá

en venta pública y forzada

EL CASTILLO DE MOULINSART

el sábado 9 de agosto ...de la tarde

¿Sabe qué creo? Es fácil, capitán. Venden el castillo de sus antepasados, ¡Hay que comprarlo!

¿Comprarlo? ¿Con qué?

¡Es verdad! ¡Hace falta dinero!

Si hubiésemos descubierto el tesoro esto sería fácil...

Déjeme ver lo que dicen...

Tome...

!

Capitán, van a vender el castillo de Moulinsart. ¡Hay que comprarlo!

¿Ah, sí?

¿Comprarlo? ¿Y esto? ¿El dinero? ¿Tiene usted dinero?

¡Ah! ¿El dinero? ¡No importa!

No tiene ninguna impor-
tancia. Yo tengo dinero.

¿Usted? ¿Tiene dine-
ro? ¡Pues buena suer-
te! ¡Yo no lo tengo!

¡Eso es! El gobierno me
ha pagado muy bien por el
submarino. Gracias a usted
lo he podido ensayar y per-
feccionar, y ahora le voy a
ayudar. Vamos a comprar su
castillo...

CASTILLO
EN
VENTA

Este CASTILLO
no está EN
VENTA

¡Todo ha acabado bien!
No ha descubierto el te-
soro, pero ha podido com-
prar el castillo de sus
antepasados.

¡Es magnífico!

¡Y no lo ha visto todo!

Desde esta sala le tele-
foneé...

¡Admirable!

¡CALLE!

¡Me había parecido oír
pasos!

¿Eh?

¡Es magnífico este castillo! Era
persona de gusto mi abuelo. Y el
sótano ese del que me hablaste,
¿dónde está?

Por aquí. Sígame...

¡Aquí está!

¡Caramba!

¡Cuántas antigüedades!

Sí. Era el almacén de los hermanos Pájaro.

Mire... San Juan Evangelista... Esto debe de ser una antigua capilla...

¿Qué le parece?

¡For- midable!

¡Esta vez he oído algo! ¡Estoy seguro!

¡Se han parado los pasos! Es curioso, me pregunto sí...

¿Qué?

¿Qué ha visto? ¿Qué pasa?

¡Viva! ¡Viva!

¡La cruz del Águila! ¡Y lucirá la cruz del Águila! ¡Ahí está la cruz del Águila!

¿La cruz del Águila? Ya veo una cruz, pero ¿el Águila dónde está?

¡Delante de nosotros!

Sí, ahí... ¡San Juan Evangelista! San Juan Evangelista, llamado también el águila de Patmos porque es donde compuso el Apocalipsis. ¡Siempre lo representan acompañado de un águila!

¡Un globo terráqueo!

¡Y un águila! ¡Tenías razón!